UNE FILLE DANS LA VILLE

FLORE VASSEUR

Une fille dans la ville

New York, Paris, Kaboul, etc.

ROMAN

ÉDITIONS DES ÉQUATEURS

© Éditions des Équateurs, 2006.
ISBN : 978-2-253-12216-6 – 1re publication LGF

À ma famille.
Celle qui est.
Et celle qui vient.

« Dans la vie tout peut arriver, surtout rien. »

Michel Houellebecq.

« Il faut voir le monde tel qu'il est. Et vouloir le changer quand même. »

Winston Churchill.

« Le problème, c'est que vous pensez que vous avez le temps. »

Jack Kornfield.

1. Fin des années 90

J'ai été un espoir du snowboard français. Ce sport attirait tous les ratés du ski alpin. Je cognais les piquets, coupais la neige. Sur ma poitrine, il y avait plus d'écussons que sur la combinaison d'un coureur de Formule 1. À chaque départ, je m'élançais la rage au ventre. Au fil de la descente, je pensais : arriver, c'est mourir un peu. À l'avant-dernière porte, je chutais. Il m'a fallu choisir un autre terrain de jeu.

Je suis entrée à HEC sur un coup de bluff : une démonstration de tai-chi devant le jury final. Tout le monde a rigolé.

À la première fête, les « camarades » hurlent sur *Rage against the Machine* dans leurs souliers Weston : « *Fuck you, I won't do what you told me*[1]. »

Je tombe amoureuse de Nicolas, président du ski-club. Nous dormons dans un lit de quatre-vingt-dix centimètres de large. À dix-huit mois, Nicolas s'est retrouvé sans maman. Depuis, il se cache dans un corps immense, armure qui coince aux entournures. Il a poussé d'un coup, vite et mal, ressemble au Géant Vert de la boîte de maïs. Il se venge des filles qui, quelques années auparavant, le regardaient comme un petit morveux dans les rallyes de province. Il séduit, respire, a

---

1. « Va te faire foutre, je ne ferai pas ce que tu me dis. »

Homme miroir : séducteur hors pair qui, au départ, reflète tout ce dont vous avez envie. Il est tout en coups d'éclat et belles déclarations.

peur, vacille, méprise. C'est l'**homme miroir**. Je mets le doigt dans l'engrenage : l'amour mal placé. Il devient mon instrument de torture préféré. J'en prends pour dix ans de « Je t'aime, moi non plus, alors quittons-nous, mais marions-nous en 2012 ».

J'ai grandi entre lac et montagnes, loin des métros, de l'air gris. Enfants de la guerre, amoureux sur les bancs de la fac, mes parents sont devenus médecins, l'un des verrues et l'autre de l'âme. Ensemble, ils ont acheté leur première voiture, filé à Corfou. Ils se sont trouvés, aimés, quittés. Attendus et ratés. Divorcés. Ils m'ont donné une **éducation vermicelle**. Être enfant, c'est attendre que cela passe : compter sur soi et batailler pour un peu de lumière ou d'attention. J'étais vouée à la castagne.

Éducation vermicelle : être capable à quatre ans de se faire à manger à cause de parents englués dans leur divorce, leurs histoires, leur déprime, leur boulot, le culte de la performance et l'escalade de l'échelle sociale. Éducation typique des années 70.

À la sortie d'HEC, je fais comme tout le monde : j'emprunte le tapis rouge de la très grande entreprise. Après une brève extase de l'ego, j'étouffe tout en haut du CAC 40 dans cette holding du luxe gouvernée par la peur. Je n'ai rien à dire à ces quinquas machistes avec chauffeur. Je recherche un peu de chaleur auprès de leurs assistantes. Ces confidentes bonnes-mamans ne me ratent pas : « Personne n'est irremplaçable », assènent-elles. La proximité du pouvoir rend vache, jaloux de ce que l'on ne possédera jamais.

Ma mère passe me voir à l'improviste. Elle repart effrayée. Mes dents se sont allongées, mon regard durci. Je parle vite, j'ai perdu mes joues d'enfant.

C'est donc cela l'entreprise, la vie *active* ? La danse du ventre des banquiers d'affaires, le capitalisme de papa ? Les portes fermées, la moquette couleur crème, les tableaux de maître Grand Siècle ? Le magnétoscope du comité d'entreprise à Noël ?

J'interroge mon *boss*, intelligence de feu dans une tête d'ange au bout d'un grand corps tout maigre. Abonné aux prix d'excellence depuis la maternelle, bombardé directeur de la stratégie à trente ans, il va au casse-pipe. Comme d'autres avant lui. Il a un aplomb formidable dans un costume mal coupé et troué à la fesse droite. Cela me met en confiance. Comme un médecin en consultation, il m'écoute attentivement. Il pose deux axes sur son *paperboard* : le temps en abscisse, l'enthousiasme en ordonnée. Il trace une courbe : elle part de très haut, descend brutalement, évite de justesse la valeur zéro puis repart mollement. Jusqu'à la fin des temps.

— Ce que tu ressens est tout à fait normal. Tu connais bien sûr la courbe en J inversée ?

— La courbe en quoi ?

— La courbe en J inversée.

— Jamais entendu parler.

Didactique, il m'explique :

— Tout projet, quel qu'il soit, démarre dans l'enthousiasme.

— Comme la vie, quoi !

— Certes. Regarde ! Toi, quand tu es arrivée chez nous, tu avais envie de tout dévorer. Tu étais pleine d'espoirs, tu te racontais que ta vie démarrait enfin.

— Forcément ! Avoir un bon job, c'est ce qui compte, non ? Ça fait un peu plus de vingt ans qu'on me le dit !

Il se retourne vers son *paperboard*, reprend son feutre.

— Oui. Sur toi, le système a bien fonctionné. Considère qu'à ton arrivée, tu es là, tout en haut de la courbe. C'est la valeur maximale de ton enthousiasme. En fait, de là, tu ne peux que plonger : cela s'appelle la désillusion. Ou plutôt, la vie.

En gros à côté de la courbe, il pose l'équation : SYSTÈME = PARENTS + ÉCOLE + IDÉOLOGIE DOMINANTE. Il écrit DÉ-SIL-LU-SION puis reprend sa démonstration :

— En fait, l'entreprise est un sale agent immobilier. Lors de l'entretien, on t'a fait visiter l'appartement témoin ; en signant ton contrat, tu as acheté un cagibi. Sur plan. Forcément, tu le trouves trop petit et tu t'ennuies. Tu es déçue. C'est la règle.

Je refuse d'y croire, m'énerve :

— Mais enfin, la courbe repart là! Alors pourquoi?

— Une fois dans le cagibi, tu as le choix. Cas A : tu acceptes la réalité : tu y restes en trouvant ton compte. Tu as stabilisé ton état. Ton enthousiasme revient, s'accommodant de petits riens : plus 0,7 % de salaire chaque année, un regard du grand patron, une plante verte dans ton bureau… C'est le cas le plus fréquent : faire comme tout le monde, attendre que cela passe.

Le cas A me panique.

— Cas B, plus rare : tu exploses le cagibi et donc la courbe. Tu démissionnes dans l'espoir de trouver un autre projet. Fatalement, tu vas redémarrer une courbe en J. Mais ailleurs. Les variables sont ici l'environnement et l'âge. C'est la vie, *cocotte*!

Il écrit CAS A, CAS B, AILLEURS, ÂGE, ENVIRONNEMENT. Il vient de m'expliquer la vie avec une matrice de McKinsey! Je suis beaucoup trop province ou naïve pour suivre cette courbe-là. Trop orgueilleuse, pour me résoudre à rejoindre l'**entreprise 12 sur 20**. J'ai besoin de kilomètres, d'adrénaline. Je lui colle ma démission, reçois en retour les culpabilisations d'usage. J'ai failli, déçu. La réciproque est inconcevable.

Entreprise 12 sur 20 : un patron, c'est un homme qui rêve et a peur. Il dort mal, se réveille souvent avec l'actionnaire qui hurle au téléphone. Alors, il s'entoure d'un management 12 sur 20. Des bons petits, juste un peu moins moyens que les autres, pas les plus intelligents, les plus dociles, installés au premier rang. Tellement honorés d'avoir été choisis, ils acceptent : sautes d'humeur, incohérences, dossiers refilés le vendredi soir. Surtout ne pas se laisser impressionner par leurs airs pressés et leurs tons suffisants. Ce sont des copies conformes, des copies qu'on forme et que, donc, on déformera.

Je rebondis dans une « PME-qui-booste » créée par une troupe de cousins jamais remis de Peter Pan. Je découvre l'univers génial mais bordélique des jeux vidéo, le n'importe quoi, l'entreprenariat « pied au plancher ». La rage du fondateur qui joue sa vie sur chacun de ses contrats. Angoisse, joie, surprise, déception, gagner un dollar, la banque au téléphone, George Lucas sur une autre ligne, la grève demain… Ce type est une animation en soi. Le meilleur jeu vidéo de l'entreprise, c'est lui !

La PME-qui-booste tient sa promesse : je voyage, croise des Indiens qui ne disent jamais oui, des Taïwanais qui écoulent les produits au marché gris, des Chinois qui piquent le code, des Autrichiens bagués aux deux doigts qui me draguent dans le dédale de salons informatiques déprimants.

À Las Vegas, la grand-messe de « l'électronique grand public mondiale » est prise d'assaut par les **nerds**. Ils courent de stand en stand, ordinateur sous le bras : « Voilà ce que je fais. Est-ce que vous voulez tra-

Nerds : les bigleux de l'informatique, les boutonneux mal dégrossis, les ratés en sport, les retardataires de la puberté. Tous ceux dont on se moque d'habitude.

16

vailler avec moi ? » Les investisseurs, carnet de chèques et stylo à la main, leur offrent 500 000 dollars. Uniquement pour voir. Les entreprises annoncent qu'elles vont changer le monde grâce à des technologies révolutionnaires. Les entrepreneurs sont des superstars qui rigolent. Tout est joyeux, pressé, prometteur. La fête du travail, de la chance et de la prise de risque bat son plein. Une fête fin de siècle.

Sur la route du retour, je m'offre un stop à New York. L'énergie de la ville tape contre les vitres du bus qui me conduit jusqu'à Manhattan. La porte s'ouvre, la première inspiration de l'odeur d'asphalte et de bacon grillé me prend à la gorge. Mon cœur bat enfin.

Je loue un vélo et descends vers le sud, seule avec mon walkman. C'est suffisant pour flirter avec la ville. Soleil froid, ciel impérial, lumière himalayenne : Manhattan la pure se réveille. Pour m'offrir à toute berzingue la 5ᵉ Avenue, je mets le groupe Prodigy en bande-son, *Breathe*. De la rage, des cris, une violence qui ne se contient plus ; puis le calme, la sensualité entre deux tempêtes. J'ai la chair de poule et pourtant il fait chaud. La musique est une caisse de résonance. La frustration m'explose à la figure. Je respire cette lumière, j'avale ce rythme, n'ai même plus l'impression d'appuyer sur les pédales.

À Battery Park, je pense à ces dimanches parisiens où le brunch est la seule activité d'un monde cloisonné. Au Marais bondé, à l'uniforme du *kéké* parisien endimanché : veste de costume sur jean négligé, basket de collection, et questions obsessionnelles : « Que pense mon patron ? Et combien tu gagnes, toi ? T'as chopé à la dernière soirée ? » Je me souviens de ces TGV pris sans relâche pour aller respirer à deux poumons dans mes montagnes. Aux faire-part qui s'accumulent sous ma porte. Je ne maîtrise ni le plan de métro, ni les us et coutumes de la vie parisienne, ni les codes de la vie à deux. Mais j'ai trop attendu pour entrer si vite dans le jeu fiscal.

Finalement, j'ai toujours eu faim. Dans les frigos de la France, tout me paraît plongé dans le formol. À New York, ils sont à double porte. Je dois venir habiter ici. Chercher les promesses de l'aube. Après la nuit de l'enfance.

L'époque s'imagine à l'irrévérence et à la vitesse. Avec ses caïds et ses flirts, la PME-qui-booste ressemble un peu trop à une cour de surfeurs pour être prise au sérieux. Moi aussi : hormis mon patron, je ne regarde jamais un jeu vidéo. Dans ce temple de la *coolitude* à l'organisation spaghetti, les filles sont vraiment jolies. On pourrait tourner là une *sitcom*. Mais personne ne transmet rien, personne n'y croit vraiment. Je m'ennuie ferme à nouveau. Venir au bureau en baskets ne fait pas tout.

Trois semaines après ma démission, je quitte Paris sans visa, réseau, ni projet. J'ai vingt-quatre ans, l'insouciance qu'il faut dans ces instants.

Au moment de fermer la porte de l'avion, un morceau d'hélice tombe de l'aile. Le pilote dit de ne pas s'inquiéter, le mécano répare, les rabbins lisent une dernière fois la Torah. Nous décollons tous. C'est avant la folie des avions qui explosent et qui tombent.

2. Hiver-printemps 1999

Aux États-Unis, on crée une entreprise comme on joue à la dînette. 265 dollars sur Internet et deux heures plus tard l'administration acquiesce : « Nous vous souhaitons une belle réussite. » Une entreprise est née pour quatre-vingt-dix-neuf ans. Elle a déjà son livre, un classeur à son nom frappé de lettres d'or. Je peux commencer à jouer.

Nostalgique de ses débuts, un entrepreneur jurassien que je connais depuis cinq minutes me sous-loue un bureau pour 200 USD. 515 Madison Avenue, au coin de la 53e Rue, c'est une adresse qui crâne à prix d'ami. J'ouvre ma société d'intelligence économique.

Pour dormir à Manhattan, on brade son intimité. Les annonces pullulent : « Jeune Italien cherche colocataire pour trois mois. Appartement charmant dans le Greenwich Village, propre et baigné de soleil. 700 USD. » Clubs de jazz, friperies déglinguées, restaurants chic, bouis-bouis pour étudiants, l'opulente New York University a tout préempté. Elle tient les promoteurs immobiliers à distance. Le quartier reste patiné par le temps. J'appelle cet Italien dans la seconde, le rencontre dans l'heure, m'installe dans la soirée. Le *roomate* est un compagnon jetable qui a comme unique vertu de payer une part du loyer.

La chambre donne directement sur les klaxons de Bleecker Street et de Seventh Avenue. La mince vitre qui sert de fenêtre ne m'épargne rien, ni le froid, ni le bruit. Au printemps, en rentrant tard, je découvre de nouveaux colocataires surpris de me voir : une horde de *periplaneta americana*, les cafards. New York est une ville de bêtes : les énormes (ours polaires de Central Park), les tolérés (écureuils), les substituts d'humains (chiens et chats), et surtout les envahisseurs : les rats (63 millions, soit neuf rats par personne) et les cafards (personne n'a jamais réussi ni osé compter). Ils veulent récupérer leur ville. Tuez-en un et ils viennent tous. L'*exterminator* de la municipalité conseille de faire ami-ami. Je cède la cuisine la nuit aux cafards, ils me laissent ma chambre.

Angelo, mon *roomate*, est un musicos raté. La quarantaine bien tapée par des nuits de guitare et une vie sans éclat. Un rital déraciné. Fauché jusqu'à la corde, il loue son unique chambre et dort sur le canapé. Clandestin depuis trop longtemps, piégé aux États-Unis, il vit en chien errant. Angelo a beau jouer les hommes pressés et s'inventer des contrats dans des clubs, je ne vois qu'une chose : sa bataille au corps à corps contre la solitude. Il a la vie dure, la peau rêche, l'attitude de celui qui veut cacher la défaite. Il me parle en gueulant, m'interdit de descendre la poubelle, me cuisine la *pasta*. Il a perdu son pays, sa propre trace. Mais pas toute sa tendresse.

Rocco, le propriétaire ferme les yeux sur son petit trafic de loyer. Il a l'indulgence de ceux qui en ont vu d'autres. Immigré des sixties, ce patriarche napolitain a connu gloire et richesse. La castagne aussi. Bars, restaurants, immeubles et bouclards en tout genre, la moitié de Little Italy lui appartenait. La mafia chinoise a débarqué en force dans les années 80. De ce quartier de légende il ne reste qu'une caricature de rue italienne. En sous-sol, le tiramisu est préparé à la chaîne par des Chinois de la troisième génération. L'Europe se gausse, la Chine travaille. New York imprime tout.

Le dimanche, je travaille dans un Internet Café qui empeste le canard laqué. La patronne est taillée dans un morceau de bambou. Tout en elle est rachitique, sauf ses yeux globuleux qui regardent les clients s'exciter sur les machines. Impassible et fière, elle tend la note, annonce le montant en chinois. À force, elle m'accueille d'un petit râle. On devient presque copines : « *You, work hard. You, good. You, beautiful*[1]. » Elle ne me fera jamais le cadeau du moindre dollar.

En mars, un blizzard s'abat sur la ville. NY1 diffuse les images d'un Manhattan paralysé : à l'écran un type en skis est tracté par un 4 × 4. Il slalome entre les poubelles, saute les trottoirs, salue la foule qui l'applaudit. La journaliste demande : « Où est-ce que vous skiez ? » Ravi de son coup, il regarde la caméra et chante : « *Fifth Avenue of course !* » Être new-yorkais, c'est être comédien. Et en rire.

---

1. « Vous, travailler beaucoup. Vous, bien. Vous, belle. »

Je décroche mon premier contrat. Un homme d'affaires parisien demande « une vision concrète et non contrôlée de **Wal-Mart** », la plus grande entreprise au monde. Au téléphone, il m'explique :

— J'en ai marre de ces études qui racontent n'importe quoi. Je veux que tu t'immerges, que tu comprennes et que tu me racontes tout.

Je loue chez **Rent-a-Wreck** une voiture cabossée pour filer vers l'Ouest, en terre d'Amérique. Sur une nationale bordée de centres commerciaux, je traverse des villes comme des *high ways* et des *high ways* comme des villes. Les vendeurs de voitures se succèdent à l'infini. Les 4 × 4 bodybuildés sont propres comme des sous neufs. Ils brillent d'ennui sur des parkings monstres et sourds. Le drapeau américain laisse penser qu'il y a une communauté, de la vie quelque part.

Kilomètre après kilomètre, je vois avancer la décadence, se préciser un monde en creux. Un monde sans rien. C'est comme si, dès le début, j'avais vu la fin.

J'arrive à Springfield, Pennsylvanie. Au superstore Wal-Mart le plus proche de Manhattan. À l'entrée, un papy m'accueille : il porte une casquette un peu trop grande, un *smiley* sur le torse et un veston bleu avec l'inscription : « Nos collaborateurs font la différence. » Rongé par Parkinson, il me pousse un caddie grand comme un brancard dans un sourire de la dernière chance et de la dernière dent. Je lui donne une pièce. La patrie du service est celle du pourboire. Tendre un caddie est son seul revenu, son unique occupation. Il n'a même pas un tabouret pour s'asseoir.

Passé la porte, un agent de sécurité affublé du même uniforme m'accueille sans y croire une seconde. Après un séjour en prison pour vol à la tire, il s'acquitte, le regard vide, du reste de sa peine.

À la caisse, Miss Springfield 1989 se repeint les ongles pour la douzième fois de la matinée en attendant le prochain client. Elle est tellement péroxydée qu'elle a perdu une partie de son cerveau. Elle empeste la laque, le dissolvant, le parfum d'Elizabeth Taylor. L'ennui. Derrière elle, le panneau du « Service Clients » expose des dessins d'enfants à la louange du distributeur. Ils ont écrit les paroles de la chanson qu'ils apprennent à l'école : « Merci Wal-Mart de rendre nos vies si belles. »

À l'autre bout du magasin, le rayon des armes baptisé Chasse. Et vingt mille mètres carrés de came ras-la-gueule aux couleurs fadasses. Partout, les caméras planquées dans les ampoules fixent des allées dans lesquelles rien ne se passe. À part moi, il n'y a personne. Impression d'électroencéphalogramme plat. Je touche le *Ground Zero* de la vitalité.

Pendant sept jours, j'écume ce qu'il reste de cette ville de Pennsylvanie : une église, un bar, des motels, quelques mauvais restaurants, des rues vides et des magasins abandonnés.

Le même panneau « For Rent » jaunit partout. Dans le *superstore*, je compte mes pas ou les références de jus d'oranges, observe cette population qui vient pour travailler, acheter ou juste discuter. Jour et nuit.

Partie pour étudier la *Retail Darling*[1] devant laquelle tout le monde s'extasie, je découvre la cathédrale de l'Amérique et sa cour des miracles. Je crois apercevoir la lèpre sur les mains recouvertes de pustules d'une caissière. « **In Sam We Trust** » : la cathédrale Wal-Mart est ouverte vingt-quatre heures sur vingt-quatre. La méta-entreprise crée ici pour détruire là, achète les centres commerciaux à proximité de ses propres magasins pour mater la concurrence. Ils restent vides : rien ne doit détourner le chaland de son chemin jusqu'au prochain superstore. Wal-Mart se pose en sauveur des petites gens. Ses soixante-cinq mille fournisseurs sont mis sous une pression folle. Ses clients entretenus dans l'idée qu'ils sont en vie parce qu'ils consomment. Elle embauche des femmes seules, des chefs de famille monoparentale, des retraités isolés, des jeunes à la dérive. Elle les appelle ses « associés » pour leur faire oublier un salaire de misère (moins de 15 000 dollars par an). Ils rejoindront bientôt le bataillon des ex-bagnards écœurés.

In Sam We Trust : slogan qui joue sur la devise américaine « *In God We Trust* ». D'une religion à l'autre donc, le culte de la personnalité, ici, Sam, le fondateur, dernier dieu de l'Amérique. Credo d'une économie de marché racoleuse qui s'enfuit dans le prix toujours plus bas.

---

1. « La petite chérie de la distribution. »

Je recherchais l'entreprise du futur. J'ai trouvé l'usine à misère. Le distributeur de famine spirituelle en terre d'abondance. J'enrage contre ces analystes collés à leur bureau et obsédés par les ratios. Wal-Mart, roi des *Càtegory Killers*, est un putain de *red neck*, une arme de destruction massive. **Suburban America,** l'Amérique des petites et moyennes villes, une succession de villes fantômes où même les corbeaux ne viennent plus.

Je repars avec quelques photos prises en douce pour mon client. Et surtout une haine qui contrarie mon engouement américain. Cela ne m'arrange pas. Alors je fais comme tout le monde : nier ce que je viens de voir. Me concentrer sur le nombre de références de jus d'oranges. Foncer à Manhattan, cette île qui n'est pas l'Amérique.

Suburban America : zone urbaine sans âme ni culture qui se répand partout, à coups de Power Centers, ces parkings monstres encadrés par un Wal-Mart, un Circuit City, un Staples et un McDonald's. Ils engloutissent une population sans idées, déjectent des Américains obèses.

À Manhattan, l'arrogance est française, ghettoïsée dans l'Upper East Side, planquée à la Société Générale. Les *expaaaaat* vivent dans de grands appartements sans *roomate*. Ils organisent des soirées vins et fromages, tiennent des discours définitifs sur la France qui loupe tout. Ils s'allongent à Central Park sur des couvertures épaisses pour lire du BHL en se racontant que c'est la vie. Ils boursicotent, louent des maisons d'été dans les Hamptons, brunchent chez Gitane, s'auto-congratulent au O'Bar. Toujours entre eux. Ils ne vivent pas à New York. Ils ont déménagé de Paris en emportant tout avec eux. Le parisianisme pédant s'exporte à Manhattan comme à Deauville. Cette pseudo-*High Society* passe à côté de l'essentiel. La vie new-yorkaise ressemble à une montagne russe. Dans les pics, on profite sans compter ; dans les creux, on fait le dos rond en attendant que la tempête s'éloigne. L'inconnu est un ami que l'on se réjouit de retrouver chaque matin. New York dit tout et tout de suite : « *You eat what you kill*[1]. » Rythme, endurance, démerde, rage et culot. Tout est primaire, tout passe par le corps. Dans cette ville de *niaqueurs*, malheur à qui veut philosopher.

Dans mon bureau, un service de nettoyage passe tard la nuit. Le type qui s'occupe de ma poubelle ressemble au chan-

---

1. « Tu manges ce que tu tues. »

teur Eminem coincé dans un costume de femme de ménage. Un soir, il me prend en flagrant délit de rollers sur la moquette et rigole : « Si tu continues à bosser comme cela, bientôt, ce n'est pas en rollers que tu rentreras chez toi mais en limousine. »

Avant d'être maire, acteur, milliardaire, étudiant, coursier, chien errant, on est new-yorkais : conscient de l'immanence des choses, orgueilleux et humble à la fois. Jamais jaloux, quoi qu'il arrive. Comme ce SDF croisé un soir d'hiver : « Allez quoi, dépanne-moi : il faut que je fasse réparer mon jacuzzi. »

Sans échec, pas de légitimité. Ici, faire, c'est avant tout rêver. « *Strong guts and big dreams*[1] », c'est l'appel de l'Amérique. La porte d'entrée est à New York, les places s'y disputent à la loyale. En chacun sommeille un futur associé : le vendeur de hot-dogs a déjà racheté dix concessions ; le chauffeur de taxi prépare un doctorat à NYU en cours du soir. Chinois, Italiens, Pakistanais, Français, Kurdes, Indiens viennent ici chercher leur ligne de départ.

Le roulis de l'histoire ne peut s'apaiser. « *Neeext* », rappelle d'une voix nasillarde la Coréenne du Salad Bar. S'arrêter, c'est le risque de se faire piétiner.

Canicule l'été, blizzard l'hiver, tout le monde s'en accommode. On voyage dans la ville selon les quartiers et les saisons. Du froid sibérien à la mousson tropicale, ville prise dans les glaces ou mégalopole du quart-monde, New York ne fait rien à moitié. Il fait froid ou chaud. Jamais de plafond bas, jamais de peut-être. Tout est tranché, les rues numérotées.

Pas un jour qui ne se ressemble, pas une lumière qui ne se retrouve. La ville bataille contre les éléments, les habitants qui la piétinent, les marteaux-piqueurs qui la transpercent, les

---

1. « Des tripes et de grands rêves. »

bus qui lui roulent dessus, les gratte-ciel qui l'enfoncent. La pluie la nettoie, les vents la balayent, le soleil l'immortalise. New York résiste. La nature a domestiqué la ville comme la France apprivoise les jardins. La municipalité passe son temps à reboucher les trous, à canaliser ces geysers de vapeur au coin des rues. Peine perdue. Manhattan est un organisme vivant allergique au sparadrap. Elle est posée sur l'échine d'un monstre qui cogne quand on l'ennuie et soupire en sommeillant. King Kong n'est pas mort. Il s'est planqué là-dessous. Il envoie rats et cafards en reconnaissance. Avant l'assaut.

3. Été 1999

C'est l'époque où, à force de ne rien comprendre, tout le monde croit au Père Noël. Les patrons ont peur de louper le coche. Les jeunes sont écoutés comme des gourous. L'entreprise est ringardisée, les *start-up* squattent la une du *Wall Street Journal*. Je fonce sur cette autoroute du business en construction qui traverse les États-Unis de New York à San Francisco : Internet.

Cette « nouvelle frontière » conforte l'Amérique dans son mythe d'éternelle pionnière. Pour construire cette épopée, les médias pactisent avec la communauté financière, les politiques suivent comme ils peuvent. Sortir par le haut d'un siècle de brutalité arrange tout le monde. Le Nasdaq grimpe, les fonds de pension explosent, les secrétaires roulent en Ferrari. Médias et analystes allument le bûcher : l'économie traditionnelle fait son autodafé. Internet lance un énorme *fuck* à l'establishment. Les mastodontes ont peur. Les hiérarchies s'interrogent. Les investisseurs financent le tout, chacun travaille pour sa part de rêve. Les stock-options font office de salaires, Starbucks[1] de salle de réunion. L'entreprenariat débridé devient le style de vie d'une génération qui croit s'affranchir des conventions.

---

1. Starbucks : chaîne de cafés apparue dans les années 90 aux États-Unis. Plus de neuf mille points de vente à ce jour. Pendant la bulle Internet, Manhattan manquait cruellement de bureaux. Les entrepreneurs donnaient rendez-vous dans ces cafés.

On est jeune, on fait des paris sur le futur, on a du talent. Pas un patron qui ne claque sa démission pour s'inventer une nouvelle adolescence.

C'est à qui raconte le mieux l'histoire. Au bon moment, au bon endroit, je deviens explorateur. New York est le plus grand zoo du monde. Mes animaux sont la communauté Internet. Sans ressource, je signe les contrats, embauche des stagiaires. Que des garçons : j'imagine qu'ils se plaindront moins. Ils s'entassent dans mon bureau de quinze mètres carrés. Mon propriétaire n'en revient pas. C'est mon atelier clandestin. Les ordinateurs ont remplacé les machines à coudre, je suis un tyran en débardeur. C'est l'été sous ecsta. Même l'Immigration américaine croit à mon histoire et me donne un visa. Catégorie investisseur. La banque aurait vu les choses différemment.

La vérité sur l'énergie new-yorkaise : « Ce que New York a de suprêmement beau, de vraiment unique, c'est sa violence. Elle l'ennoblit, elle l'excuse, elle fait oublier sa vulgarité [...]. La violence de la ville est dans son rythme. » Paul Morand, *New York*, 1930.

Ce matin, John John est mort. Il s'est égaré dans le brouillard, engueulé une dernière fois avec sa femme tyrannique dans son coucou de *sex symbol*. Ils se sont abîmés pour toujours. New York a perdu son fiston. Madison Avenue éclate de pureté, je suis dans le **rythme**. Je vis comme un rat. L'été, tout se passe dehors. Cela se voit moins. J'ai vingt-cinq ans, deux dollars en poche, enfin confiance en moi.

Pour survivre dans cette ville, il faut se rapprocher des *niaqueurs*, éviter les rabat-joie, s'en remettre à elle, la femelle. Avec New York, tout est sexuel. Je la partage, comme, j'imagine, on partage une maîtresse éblouissante. Elle satisfait tout sans s'épuiser. Elle apaise sans rien demander. Elle ne vieillit jamais. Je ne la posséderai pas. « Aussi seule que moi, ensemble nous pleurons », chantent les Red Hot : à force de ne pas trouver l'autre, on s'habitue à soi. Au royaume des Kids, je suis devenue un petit mec.

Cet été-là, tout va vite. Je ne dors plus, de peur d'en perdre une miette. Journées sans fin, nuits de canicule, je garde mes rollers au pied. Le monde tient dans un mouchoir de poche, je roule. Dans la torpeur d'Alphabet City, Tricky chante : « L'enfer est au coin de la rue. » Dans un Central Park déserté, un milliard de lucioles éclairent ma route.

Je passe mes week-ends sur la pelouse de Battery Park, à lire tout ce qui s'écrit sur Internet. Plus l'humanité est dense, plus le désir d'autarcie puissant. Un dimanche réussi revient à ne parler à personne. Manhattan est le terrain de jeu d'une énorme partie de cache-cache. « *Nice shoes. You wanna fuck*[1] ? », personne n'a le temps de mieux, la cause est entendue. Il faut jouer vite. Toucher sans se faire prendre.

À chaque soirée, j'ai l'impression d'être sur le tournage d'une publicité Hollywood Chewing-gum. Sur un toit, l'album *Moon Safari* de Air tourne en boucle. Gratte-ciel, bougies, mojitos glacés. Corps bronzés, dents blanches, têtes policées, pédicures apprêtées. Les hommes portent des sandales négligées sur des doigts de pied épilés. Banana Republic signe la libération du plouc. Même les types du New Jersey ont leur chance. On « *gère des rendez-vous amoureux* ». On ne fait que passer. Les autres sont « *high maintenance* », « *time*

---

1. « T'as de jolies chaussures. Tu veux tirer un coup ? »

consuming ». Des bouffeurs de temps, des contraintes d'agendas. C'est le diktat du développement personnel imposé par des **individus TBC** qui se gèrent comme une entreprise. *Sex and the City* est un documentaire animalier sur l'époque. Avec le stiletto comme accessoire imposé.

Individus TBC : (individu à confirmer) il vit dans l'angoisse de ne pas avoir la dernière version de…, le dernier modèle de…, bref de ne pas être à la hauteur, jamais. Il n'est ni l'amoureux du beau ou de nouveautés qu'il prétend être. Ses objets le définissent. Parce qu'à l'intérieur, il n'y a plus personne.

Depuis deux ans, Nicolas, le Géant Vert de la boîte de maïs, mon amoureux mal placé d'HEC, est en Australie. Je l'avais supplié de m'emmener. Sur un trottoir parisien, il m'avait laissé tomber comme une vieille chaussette en me demandant de l'attendre bien sagement. Les Australiennes sont vraiment trop jolies. Mais après, « quand j'aurai vécu cette aventure seul, m'avait-il dit droit dans les yeux, on se retrouvera ». Des trémolos dans la voix, il avait ajouté : « et après on fera une famille ». Depuis, je n'ai plus de nouvelles.

Justement Dino, son meilleur ami, est de passage à New York. Avec Nicolas, il partage tout : HEC, la planche de surf, l'appartement de Bondy Beach, les bons coups de Sydney. Je connais peu Dino. Depuis toujours, sans trop savoir pourquoi j'ai beaucoup de mal à lui parler. J'accepte de dîner chez Kelley Ping, cantine bobo thaïe de Greene Street à une seule condition : ne pas parler de Nicolas.

Dino arrive avec un type qui sert à détendre l'atmosphère, le larron de la farce puisqu'il en faut toujours un. Les verres virevoltent et très vite, je décolle. En plein dîner, au-dessus du Pad Thai, quelque chose d'humide et gluant passe lentement sur mon visage. C'est le larron qui tente sa chance et me lèche la joue de bas en haut. Dino hallucine. J'éclate de rire en écartant l'homme gluant qui s'enfuit aux toilettes pour oublier son geste. Probablement à l'aide d'un petit rail. Il n'a pas quitté la table qu'un bruit sourd et rapide envahit l'espace. Boum, boum, boum : c'est un cœur qui bat fort, vite et qui prend toute la place. Celui de Dino, métamorphosé. De son assurance il ne reste rien. Son sourire a disparu. Ses yeux s'affolent, il transpire. Tout est moite. On dirait qu'il a une peur bleue. La voix cassée, il se lance : il ne tient plus, il veut se débarrasser de tout ça ; il souffre en silence, je dois l'entendre. Les mots pleuvent, il s'expose à la dérobée. Il dit qu'il m'aime depuis des années, par procuration. Il confie cette envie, cet espoir, cette obsession :

— Nicolas est en train de te faire perdre ton temps. Partons, dit-il, c'est l'heure des choix. Le temps des cerises, celui de notre jeunesse. Ta vie, la mienne, la nôtre. J'y crois. S'il te plaît, aide-moi.

Je tombe des nues, adore cette histoire d'abandon en forme de cerises. Il a l'air beaucoup trop bouleversé pour jouer. Nous sommes en apesanteur pendant quatre petites minutes qui durent une éternité. Le restaurant s'est envolé. Il vit la délivrance et moi un moment d'une sensualité brutale. Les regards avouent tout, les peaux n'y peuvent rien. C'est totalement anachronique, impossible. Je flanche immédiatement. Je rêve de casser les codes, de m'inventer un monde nouveau, faire la nique à l'establishment ! La nique au Géant Vert ! Ras-le-bol de la castagne. Vive l'amour ! J'ai juste besoin d'une étincelle pour m'enflammer.

Son ami revient, crève la bulle. Nous dessaoulons d'un coup, n'osons pas nous reparler de la soirée. Chacun rentre chez soi. *The mess we're in*[1] : personne ne l'a jamais mieux

---

1. « Le foutoir dans lequel nous sommes. »

expliqué que PJ Harvey. Le lendemain, Dino s'envole de JFK. Il est parti en courant. Il ne s'est rien passé. Il m'en voudra toute sa vie de m'avoir trop parlé. Il a trahi tout le monde, est encore plus malheureux qu'avant. Je me suis fait avoir comme une bleue.

4. Automne 1999

À l'aube de mon second hiver new-yorkais, j'ai besoin de me convaincre que j'avance. Je veux déménager. Deux femmes m'ouvrent leur porte. L'une, apprentie banquière habillée en Zara, recherche un appartement avec jardin et lumière.

— Je m'occupe de tout, m'assure-t-elle. New York, ça me connaît.

Je la laisse faire, me retrouve dans un rez-de-chaussée sordide et sans fenêtre de Murray Hill. Le ventre mou de New York, totalement sans intérêt.

La seconde femme opère avec succès dans la chasse de têtes. Maman-femme d'affaires, elle aurait préféré être rock star. Pour tromper son ennui d'avoir réussi, elle a transformé un étage entier à l'abandon du Rug District en un superbe loft baigné de lumière. Parquet blond, peinture tilleul, panneaux coulissants de feutre blanc. C'est un univers feng shui suspendu au-dessus de la mêlée. Notre nouveau bureau, au coin de la 5ᵉ Avenue et de la 30ᵉ Rue. Fortune faite, elle m'envie car je démarre dans tout. Elle se mettrait au **régime bagel-cream cheese**

Régime bagel-cream cheese : ration de survie new-yorkaise. Repas à 1 dollar.

pour retrouver la magie de ses débuts. Elle nous laisse sa plus belle pièce avec vue sur le nord de la ville. Fini l'atelier clandestin, les moquettes douteuses et les néons : l'Empire State Building brille le jour et veille sur nous.

Un appel urgent : le patron de la holding de mes débuts est à New York. Il veut me rencontrer immédiatement. Il s'échappe d'une conférence de presse au Four Seasons pour venir s'asseoir à mon bureau. Nos honoraires n'atteignent pas le prix de son aller-retour en Concorde. Il joue avec les panneaux coulissants, s'arrête devant les fenêtres. Il est venu en cachette, Manhattan est à ses pieds. Juste avant de reprendre l'ascenseur, il bafouille :

— J'adore New York. Vous avez tout compris.

Ces trente minutes-là valent bien plus que tous ses millions que je n'aurai jamais. Je reviens vers mes collaborateurs, les clés du bureau à la main :

— C'est bon, les gars. Moi, j'arrête là. Je vous laisse tout.

Et je m'offre une demi-journée rollers-*Vogue Magazine* à Battery Park.

Le salon « Internet World » est la foire géante aux bestiaux digitaux. Être au bon moment, au bon endroit, se monnaie cher : 2 000 dollars l'emplacement, 500 dollars la connexion, 200 dollars l'électricité. Par jour. Le stand du fonds Kleiner Perkins ne désemplit pas. John Derr, son patron, accorde audience. Une file d'attente se forme comme devant un prêtre distribuant l'hostie. Plus de cinquante entrepreneurs attendent la petite minute que le grand manitou de la Nouvelle Économie leur concédera. Immense, debout, bras derrière le dos, tête en avant, John Derr écoute pendant des heures. Parfois un sourcil se lève. Il porte alors sa main jusqu'à la poche de son veston, en sort une carte, la tend solennellement : « Appelez-moi dans deux jours. » Telle est la récompense suprême : la ligne directe de John Derr. Dans la file, les boutons d'acné implosent de trouille.

De passage en France, je croise un banquier d'affaires qui vient de céder à l'euphorie Internet. En retard sur tout, il est à l'affût de n'importe quoi. Dans son bureau Louis XV du VIIIe arrondissement, il s'extasie devant ma présentation montée sur Powerpoint, ne me laisse pas finir :
— OK, ça suffit, j'ai compris, dit-il.
— Bon.
Il a l'air pressé :

— Combien voulez-vous?

— 500 000 dollars?

Il me regarde, dépité :

— Manque évident d'ambition. Vous m'auriez dit 5 millions de dollars, je vous les donnais tout de suite.

À Manhattan, je rencontre Jérôme à l'un de ses vernissages. En bouseux dans la capitale du monde, nous nous reconnaissons immédiatement. Il squatte un atelier improbable dans le plus grand entrepôt de la côte Ouest. À l'intérieur de cette monstrueuse bâtisse qui borde Chelsea Piers, tout est démesuré. Des Russes servent de groom dans des monte-charge transformés en ascenseurs. Ils accompagnent les visiteurs, ne posent jamais de questions. À chaque étage, un univers : au 18e, des containers attendent sur des quais de déchargement ; au 16e, Armani prépare ses défilés ; au 14e, start-up et galeries prennent d'assaut des plateaux monumentaux ; Lenny Kravitz répète au 7e pendant que la chaîne HBO tourne une scène de *OZ*, sa série sur l'univers carcéral, au 4e. La CIA aurait même installé une planque en sous-sol. Tout le reste n'est que labyrinthe de couloirs crasseux et dangereux. Cet immeuble renferme une histoire *top secret* : stars, mafieux, SDF, rats se cachent derrière des portes de chambres froides identiques. En toquant, il vaut mieux ne pas se tromper. Des coursiers égarés aux mauvais étages n'en seraient jamais revenus.

L'atelier de Jérôme se trouve au fond d'un couloir lugubre. Ambiance *Twin Peaks*. Je le traverse à fond en rollers. Jérôme partage son squat avec un couple de Néo-Zélandais. Un peu entrepreneurs, un peu artistes, un peu galeristes, John et Sara enchaînent mois de disette et semaines de table ouverte au

Blue Ribbon Grill. La salle de bains est l'unique pièce reta-
pée. Au bord de la fenêtre, dans leur baignoire victorienne sur-
élevée, j'ai l'impression d'être en apesanteur entre l'Hudson
River et le ciel de Manhattan.

Quand il passe à mon bureau, Jérôme reste des heures à
regarder l'Empire State Building. Quelque chose le dérange,
le fascine, l'inspire. Un matin, il arrive avec une plante verte
géante.

— J'ai bien réfléchi, il y a beaucoup trop de minéralité ici.
Il te faut quelque chose pour contrer l'énergie de l'Empire
State Building.

La plante meurt en une semaine.

Jérôme tord, casse, découpe, polit, peint des pastilles
géantes pour évoquer la puissance de Monsanto[1]. Il juxtapose
deux bouts de bois vermoulu : c'est Adam et Ève à l'heure du
sida. Il découpe un énorme dollar dans un morceau des docks
de l'East River pour prophétiser notre noyade prochaine.

Il sculpte, je tape sur mon ordinateur. Nous partageons la
même bulle bohème. Quand je lui pose une question, il me
répond deux heures après. Entre-temps, il a changé de sujet ;
son cerveau est parti chercher la réponse.

Lorsqu'il n'a plus rien à manger, Jérôme relève enfin la
tête de son travail, s'indigne :

— Tu te rends compte ! Je ne peux même pas avoir le cancer. J'ai pas de sécu.

Dans ces moments, il se rappelle qu'il a besoin du regard et
de l'argent des autres. Il transforme alors son squat en galerie
et donne des fêtes où la faune *arty* se délecte. J'y suis comme
à un safari. Dans cette ville qui veut tout rentabiliser, l'artiste

1. Première société à avoir réussi à modifier le code génétique d'une
plante. Inventeur des OGM (coton, maïs, colza).

est un spécimen que tout le monde courtise. Créer ne peut s'acheter ni se chronométrer. L'artiste en devenir est une spéculation sur pattes. Sa renommée se fait ou se défait instantanément dans quelques dîners de Tribeca ou de l'Upper East Side. En attendant, il va partout pour être repéré. Il est un caméléon qui lèche un peu n'importe qui pour survivre.

Avec son air allumé, son rire de cheval, sa salopette trouée sur son corps ramassé, Jérôme navigue dans toutes les sphères. Sans jamais se tromper de registre.

Autour de lui, frétille une population éclectique avide de rayonnement et d'idées : banquiers, pseudo-entrepreneurs, apprentis mannequins en extase, héritiers désœuvrés, femmes esseulées sur le retour. Tout est bon pour s'acheter une *œuvre* : meubler un appartement vide de sens, se raconter que l'on a du goût, investir, occuper sa journée, éviter d'être trop seule. Les artistes et les très riches s'adorent, ils s'apportent ce qu'ils désespèrent de ne jamais posséder : l'argent pour les uns, la lumière pour les autres. Ils se séduisent, font miroiter des possibilités, investissent, couchent ensemble. Puis ils trouvent mieux : plus fou, plus différent. C'est une question de peaux ou d'idées, tant qu'elles sont fraîches.

5. Hiver 2000

Manhattan est devenu le panneau publicitaire de l'Internet. Tout est clinquant, factice, frénétique. Vingt-cinq start-up se créent chaque jour. Les sites poussent comme des champignons hallucinogènes. « Wall Street paie mes chemises. Mon salaire paie le pressing », se targuent les *expaaats*. Propriétaire, comptable, femme de ménage proposent d'être réglés en actions, plus fortes que le roi Dollar. Le Nasdaq passe la barre des quatre mille points. Chacun se graisse sur la bête : le petit porteur américain qui balance ses économies dans la fosse aux lions.

Get rich quick! Les consultants prédisent un marché astronomique, les investisseurs distribuent les dollars comme autant de billets de loterie, les médias construisent les *success stories*. Pour expliquer cette économie qui ne répond plus de rien, les pionniers publient des livres à succès, peaufinent des déclarations qui justifient tout : « Cela ne sert à rien de chercher

Get rich quick : l'économie Internet est un ascenseur social, immédiat et à portée de main. Mantra de ce début de siècle, moteur du monde sous ecsta.

à comprendre puisqu'il n'y a rien de connu[1]. » L'euphorie trouve en l'inconnue sa plus belle excuse.

Times Magazine sacre Jeff Bezos, homme de l'année, du millénaire. Amazon, son entreprise, a la valorisation boursière de Wal-Mart pour un chiffre d'affaires qui n'atteint pas celui d'un seul superstore. Le profit, les ventes n'ont aucune importance. L'essentiel est de s'acheter une publicité à la finale du Superbowl. L'édition 2000 est trustée par les start-up : pendant vingt secondes, Outpost.com catapulte des souris contre un mur. « Uniquement pour attirer votre attention », explique le message. Dans le spot du courtier en ligne E-Trade, un chimpanzé, face à la caméra, se déchaîne sur la cucaracha. L'écran tombe et la voix off conclut : « Voilà. Nous venons de dépenser 2 millions de dollars. Et vous, que faites-vous de votre argent ? »

C'est l'heure des dépenses excessives et du tout gratuit. On fait croire au consommateur qu'il est éclairé. L'économie serait là pour le servir. Starbucks prend Manhattan d'assaut et ouvre cent quarante-sept cafés. Gap embauche un acteur pour accueillir ses clients. Posté à l'entrée, il use d'une accroche différente pour chaque nouveau visiteur. Hystérique, il est remplacé au bout de deux heures.

Attendre l'impossible, ne jamais considérer les positions acquises, respecter plus petit que soi, c'est la redistribution des cartes à l'échelle de l'irrévérence. « Mafia Boy », un pirate de quinze ans, paralyse les plus grands sites : plus d'un milliard de dollars en capitalisation boursière s'envole en deux semaines. Les *hackers* sont les héros d'une contre-culture qui s'extasie devant chacun de ses exploits. Même Bill Gates se fait piéger : ses relevés bancaires sont publiés dans

---

1. Propos attribués à Jim Clark, *serial entrepreneur* de renom (Silicon Graphics, Netscape et Healtheon), rapportés par Michael Lewis, *The New New Thing*, 2001.

le monde entier. Dépassé, le FBI n'a plus qu'à recruter des pirates pour arrêter les pirates. Pour sa couverture de février, *Fortune Magazine* rassemble sur un ring un petit groupe d'entrepreneurs, d'analystes, d'investisseurs et de directeurs d'agence de publicité. Photo en noir et blanc, éclairage de prison, regards de méchants, *Fortune* les transforme en *bad boys* et titre : *E-gang !* Greenspan, le patron de la Banque Centrale, parle d'« exubérance irrationnelle ». L'homme le plus puissant d'Amérique se fait traiter de vieux con.

Au Deli du coin, une femme incroyable entre. Elle porte un jean à paillettes, un pull finement brodé et perlé, un imperméable doré, des lunettes noires. Elle a une démarche de star sous de longs cheveux noirs. Elle est accompagnée d'un homme en costume. Ils s'assoient à côté de moi, discutent en français. Cette femme rayonne trop pour ne pas être félicitée. Je me lance :

— Excusez-moi, mais… vous êtes magnifique.

— Merci, c'est gentil.

— C'est du Catherine Malandrino, non ? dis-je en touchant son pull.

Elle regarde le type qui l'accompagne et ils éclatent de rire :

— Oui. Et Catherine Malandrino, c'est moi ! Mais en fait, Bernard, mon mari, fait tout !

Elle me raconte son aventure de couturière grenobloise. Son arrivée à New York sans visa ; sa rencontre avec son mari, la naissance de leur enfant, leurs premières collections bricolées dans un sous-sol, le pari de la boutique dans Soho lancée par *Sex and the City*. Madonna, qui a demandé un tee-shirt pour sa prochaine tournée. En elle je ne vois que pari, talent, humour. Elle joue de finesse et de rondeurs, impose broderies et frous-frous. La mode new-yorkaise n'a rien inventé depuis l'univers minimaliste de Calvin Klein. Catherine Malandrino l'éblouit. De la *french touch*, elle n'a pris que le meilleur. Elle m'invitera à ses défilés. Je ne sais pas trop pourquoi.

À l'une de ses fêtes dans son atelier d'artiste, Jérôme me pousse vers Tomy, Australien chauve virant albinos, au physique d'armoire à glace. « C'est un homme pour toi, vous avez la même énergie », me dit-il. Nous nous asseyons sur un canapé récupéré aux Puces :

— *So*, il paraît que tu as un petit business de conseil. C'est fantastique, ça ! Pas comme ces *nazos* de planqués qui attendent encore l'accord de papa-maman pour péter.

— Tu parles, je les déteste, dis-je pour jouer un peu.

— Cool. (Il me passe au scanner de haut en bas.) Moi, je viens de *closer un deal* avec PriceWaterHouse. J'ai fait un coup d'enfer et les types n'ont rien vu. Tu te rends compte, je me suis *fait* PWC ! Maintenant, j'ai beaucoup trop d'argent. Il faut vite que j'investisse, que mon argent bosse, ce n'est pas possible autrement.

New York recèle de ces histoires de fortune immédiate.

— Tu vois le truc, renchérit-il, c'est d'aller de culbute en culbute, sinon, tu meurs. Mon vrai nom, c'est *flipper* ! C'est quoi, ton business ?

J'ai l'impression qu'il m'écoute à peine :

— Tu es un vrai petit **striver**. Pendant la ruée vers l'or, les mecs qui cherchaient se sont tous fait avoir : ils se sont entre-tués ou sont morts d'épuisement. Seuls les vendeurs de pioches ont fait fortune. Aujourd'hui, c'est la ruée vers l'or. Et toi, t'es un vendeur de pioches. T'as des couilles et en plus t'es pas trop con. Bref, tu me plais de plus en plus. J'aimerais bien investir dans ton business.

— Euh… c'est que…

— Je pars dans trois jours. On se voit demain pour en parler ; 17 heures à ton bureau.

Il a décidé tout seul.

Le lendemain, dans mon bureau asti-qué pour l'occasion, silence radio jusqu'à 20 heures. Puis le téléphone sonne.

— Je suis désolé, *sweet heart*. Il faut absolument que j'achète un appartement aujourd'hui. Tu sais ce que c'est, hein ?

Non, je n'en sais rien. Je sous-loue une piaule sans fenêtre au rez-de-chaussée d'une HLM pourrie.

— Je suis dans la voiture avec l'agent immobilier et je n'ai pas encore fini. On pourrait parler de ton business pendant que je visite des appartements ?

À cette époque, les investisseurs chas-sent sans répit : dans un café, une salle de gym, un couloir d'aéroport. Alors dans un appartement vide, pourquoi pas ?

La limo de Tomy passe me prendre et nous glissons voluptueusement vers

Striver : individu « sang et sueur » qui croit s'en sortir par le travail. Il bosse comme un chien, vit comme un rat, adore l'Amérique.

Tribeca. Là où habite De Niro. Ce quartier a gardé l'âme du New York des années 80, quand la ville était sale et mal famée. Gap et Starbucks ne l'ont pas encore défiguré. Dans ces lofts de designers de quatre cents mètres carrés, je suis comme à Disneyland : écrasée par la débauche et la vanité de l'espace. Je traverse une pièce de la taille de mon appartement : il n'y a rien sauf un magnifique cerisier, entouré de vingt bougies Diptyque allumées pour la visite. Dans une chambre, coupeur en or et fiole en cristal traînent sur un petit plateau en argent posé sur le lit. Draps en coton égyptien bien sûr. Des lubrifiants et des bouteilles d'Évian attendent sur la table de nuit entre deux catalogues d'exposition du MOMA. La cuisine aligne ustensiles de professionnel, confitures de luxe, livres pointilleux. Les tiroirs n'ont jamais été ouverts. Tout est désespérément neuf et plein. Dans ces appartements pour revue de décoration, tout est mis en scène mais personne n'y habite vraiment. Les meubles sont beaux, l'âme triste. Il y a une esthétique du vide que les objets ne consolent pas. Entre très riches, on n'a plus rien à cacher.

À chaque visite, Tomy me demande conseil sous le regard implorant de l'agent immobilier. À chaque soupir de son client, il transpire à grosses gouttes. Il joue son année, se ferait marcher dessus pour bien moins. Dans ses yeux, je peux discerner le montant de sa commission.

Minuit, et j'ai suivi Tomy partout comme un toutou. Je le *pitch* au bar du Tribeca Grill, le restaurant de De Niro. Les businessmen s'allient rarement avec ceux qui ne jouent pas dans la même catégorie. Alors, je gonfle carrément le tout, particulièrement l'ambition. Ses yeux pétillent, il respire bruyamment, renifle beaucoup, avale les cacahuètes par grosses poignées. Il renchérit sur mes projections, prend une serviette de bar, gribouille : deux triangles (le marché, aujourd'hui et demain), des traits (les flux d'information dans un sens, l'argent dans l'autre), des noms (AOL, CNN, Vivendi), des courbes (lui seul et ensuite lui avec moi). Il postillonne de plaisir et exulte enfin devant sa belle démonstration. En plein orgasme, Tomy bave. Il me fixe. Sur cette chaise de bar, il dit :

— Est-ce que tu comprends ce que cela veut dire ?

J'ouvre la bouche en pensant : « OK, Tomy, je n'ai rien compris. Mon truc, c'est de la flambe. D'ailleurs je rentre chez moi. Merci pour la balade. » Mais il ne me laisse pas répondre :

— Tu vas être mon *little secret weapon* !

Quoi ? Sa petite arme secrète ? On ne m'avait jamais présenté les choses comme cela...

— On va redéfinir l'univers des médias. Ensemble, on va bouffer AOL.

Si tu veux, Tomy, si tu veux, me dis-je.

— Combien tu veux pour ton business ?

Pour éviter tout quiproquo et histoire de dire cela une fois dans ma vie, corps en avant et regard de mafioso, je réponds en articulant :

— *One million dollars.*

C'était la bonne chose à dire. L'animal me tend sa main grasse, baise la mienne :

— Considère que c'est déjà fait.

Les pupilles dilatées après un aller-retour aux toilettes, Tomy engloutit son steak-frites en me regardant goulûment. Il déborde de cocaïne, sue comme un porc. J'ai fait de la pêche au gros et un mahi-mahi australien a mordu à mon hameçon en plastique. J'adore De Niro.

Avec tout ce qu'il s'est mis aux toilettes, Tomy ne peut pas dormir. Il m'emmène chez Florent, un *coffee shop* du Meat Market District, ouvert vingt-quatre heures sur vingt-quatre. Les clubbers abîmés par les backrooms viennent s'y requinquer d'un hamburger après avoir vomi leur RedBull. *Heroine chic* ou *Acid freak*, c'est une piste d'atterrissage glauque. Faussement déglinguée et franchement snob. Au bar, Tomy se met à genoux pour me faire promettre de signer le *deal* avec lui. Au pire, c'est une drôle de manière de passer une soirée. Au mieux, j'empoche à vingt-cinq ans *ouane million dollars*. J'entre dans le jeu de ce type qui aime se faire fouetter.

Trois heures du matin, Tomy appelle son avocat qui déjeune à Sydney :

— Prépare tout pour demain, il faut que j'aille vite. C'est hyper-important.

Tomy veut enfin dormir. Rendez-vous est pris pour le lendemain dans mon restaurant préféré. Pour signer le contrat préparé par son larbin d'avocat.

Le Mesa Grill est une valeur sûre du *Zagat*. Les margaritas et la tarte aux pommes avec sa glace aux trois crèmes sont redoutables. Les Américains parlent fort et tout résonne dans cette salle haute sous plafond. Ce n'était peut-être pas un si bon choix. D'ailleurs, je suis un peu en retard. Tomy m'attend avec les papiers en évidence sur la table. Quelque chose pourtant me dit que le charme est rompu. Notre table n'est-elle pas trop excentrée pour cet homme soucieux d'être au centre de tout ? Son avocat l'a-t-il raisonné ? Est-ce que je me suis trompée de robe ? Tomy me tend une coupe :

— Trinquons au *deal*. À mon *little secret weapon*.

Il descend son verre, la bouteille. Nous parlons de tout et de rien. Quelque chose d'imposant brille à son poignet : des menottes Gucci. Il triture celle qui enserre son poignet dodu. L'autre pend lourdement. Un serveur remplit nos verres de vin blanc australien. Tomy le bouffe du regard, passe sa langue sur ses lèvres et lui demande :

— Est-ce que vous savez à qui je pourrais accrocher cela ?

— Je m'excuse mais je n'en ai aucune idée, monsieur.

Et le serveur de s'enfuir poliment. Pour se consoler, Tomy se jette sur son verre. Il manque de s'étouffer. Il rappelle le serveur et lui hurle que le vin est bouchonné. Il a gagné : tout le monde le regarde. Soit je joue la blonde de service et souris en attendant que l'orage passe. Soit je me transforme en maman :

— Pourquoi tu fais ça ?

— Merde, quoi ! Ce vin est dégueulasse et ce serveur m'emmerde, s'énerve-t-il.

— Ce vin est délicieux et ce serveur est parfait. Soit *cool*, *man*, tu es vraiment sûr que tout va bien ?

— Mais tu m'emmerdes à la fin. Qui t'es, d'abord ?

C'est vrai, ça. Je tente ma chance encore une fois et répète :

— Tomy, tu es sûr que tout va bien ?

Il hésite, grogne, regarde au plafond puis baisse de trois tons :

— Pardon, *honey*. Je ne sais pas ce qui m'a pris. Il faut que je ralentisse. Enfin, je n'arrive pas à me reposer. Des fois, j'ai l'impression que je vais exploser.

— Oui, Tomy, il faut que tu lèves un peu le pied, là.

— T'as raison ! J'ai besoin d'un *break*. Je suis une putain de bombe à retardement. Tu sais, j'ai peur parfois.

— Je suis sûre que ça va aller.

— Oui, oui. J'espère que je ne t'ai pas mise trop mal à l'aise. Tu crois qu'on m'a entendu ? Tu crois que je déconne ? Tu crois qu'il me faut un psy ?

J'endosse cette fois le rôle de l'infirmière en pensant : c'est ça, Tomy, mange dans ma main. Et qu'on en finisse : signe ce foutu papelard coincé sous ton coude grassouillet !

Débarque le directeur de salle qui veut comprendre l'incident. Confus, Tomy propose de payer les deux bouteilles, de dédommager le serveur, invoque le surmenage. Dès qu'ils s'éloignent, Tomy se métamorphose de nouveau. Cette fois, c'est pour ma pomme :

— *Fuck !* J'aurais jamais dû t'écouter. Tout est de ta faute ! Regarde ce que tu me fais faire. Je viens de me ridiculiser à cause de toi. Espèce de sale blondasse !

— Mais enfin…

Les menottes Gucci d'un Tomy vert de rage tapent sur la table.

— Tu me rends fou ! Tu veux me dire ce que je fais là à perdre mon temps avec quelqu'un comme toi ? Merde ! Je suis tombé bien bas.

Je sens que moi aussi. Tomy est déchaîné. Va-t-il en venir aux mains ?

— T'es qu'un parasite, une vraie merde. Je vais te détruire. Pas plus tard que demain, personne voudra bosser avec toi.

— Oh là ! Tomy, reprends-toi !

— Non mais : pour qui tu te prends ? Tu ferais mieux de rentrer dans ton pays de merde avant que je m'occupe de ton cas.

L'albinos australien a viré American Psycho. Les New-Yorkais ont une devise pour tout : « Ne jamais baisser la tête » est celle qui me vient à cet instant. Je me lève, sors comme une princesse. À travers la salle, Tomy me traite de pute. Je tremble un peu, ces quelques pas me paraissent interminables. Je me rue dans un taxi. « Go, go, go. » Le *driver* indien repose son massala, démarre en trombe et me ramène chez moi fissa. Pour me calmer, il m'offre la course. Les taxis new-yorkais sauvent de tout.

Jérôme arrive dans les cinq minutes. Dans le bain qu'il me prépare, il jette pétales de rose et canards en plastique. Il me fait rire, mon maquillage dégouline.

— J'étais sûr qu'entre vous, il y aurait des étincelles. Ça t'apprendra à ne pas passer la Saint-Valentin avec moi.

Tomy sonnera la nuit, appellera la journée, enverra des fleurs par dizaines, laissera plusieurs messages. Un collaborateur m'en tendra un sur un Post-It : « Je suis une vieille bite vérolée. J'ai besoin d'aide. Je suis désolé. Bonne chance. »

Plus de *ouane million dollars*, plus de De Niro, plus d'appartements obscènes, plus de Tomy Père Noël. Le *secret little weapon* restera bien sagement dans son étui. Loin des **capitalist pigs** et de leur bataille de Big Jim.

Capitalist pig : il gère ses affaires par téléphone dans les avions autour du monde. Sa vie est un cours de bourse, une caricature. Ses enfants veulent l'abattre comme un animal. Seul, adepte de la jouissance facturée et déviante, c'est un homme dangereux. Surtout pour lui-même. Cerveau grillé, âme dévastée, vie minée, c'est le genre de personne à sauter par la fenêtre un jour de krach, à faire un arrêt cardiaque à quarante-cinq ans, bref à exploser en vol. Les yeux sur Bloomberg.

Marco est gauche, carnassier. Son regard timide et sa voix fébrile tranchent avec la puissance de sa détermination. Il est venu à New York **construire une société à la vitesse d'Internet**. Il a négocié sa première mise de fonds de 500 000 dollars en trois semaines. En une matinée, il a embauché dix personnes. Mais il n'a pas de bureau. À l'époque, c'est l'unique denrée rare. Nous nous rencontrons pour en parler, au bar du Grange Hall, restaurant bio niché dans une délicieuse rue de West Village. Il respire l'intelligence et la bienveillance. Il est grand. Je glisse déjà.

Construire une société à la vitesse d'Internet : créer du vent à partir de pas grand-chose, convaincre des investisseurs de le financer, l'introduire en bourse en huit mois, revendre ses parts au bout de seize, partir à Hawaii pour de bon. Y vivre d'eau et d'arcs-en-ciel.

Avec Marco, nous décidons de nous soutenir. Chaque jeudi, nous nous racontons nos aventures d'entrepreneurs au pays des Yankees. Marco choisit des restaurants de plus en plus romantiques. Un soir, il me tend un cadeau enveloppé dans un papier à petits cœurs roses.

— Il ne fallait pas, dis-je, touchée.

Je déballe, tout excitée : c'est un livre de finance d'entreprise. Marco dit :

— J'ai pensé que c'était ce dont tu avais besoin.

— Ah oui, bien sûr…

Je cherche quelque chose à dire. Il propose :

— Ta boîte vaut probablement des millions. Il faut que tu fasses un *business plan* pour aller la vendre à des investisseurs. Si tu venais à Miami avec moi ce week-end pour l'écrire ?

À South Beach, en plein hiver, tout est factice, sauf le soleil. Nous prenons des airs sérieux au News Café sur Ocean Drive. Ordinateurs sur les genoux, nous refaisons le monde à la piscine du Delano. Dans la nuit, Marco a préparé les projections de croissance de ma petite entreprise. Je vois des zéros partout :

— Tu crois vraiment que je peux faire 5 millions de chiffre d'affaires l'année prochaine ?

— Mais oui, c'est simple ! Regarde, j'ai tout modélisé. Si tu augmentes la valeur de la cellule $C8$ en année n, donc maintenant, tu arrives automatiquement à 5 millions de dollars. Tu lèves un peu d'argent, recrutes des cadors. Tu fais deux ou trois événements en France, et tout le monde va venir.

Physique d'éternel gentil, rage du boxeur, Marco se croit plus fort que tout. Pour s'en convaincre, il projette sur moi ce qu'il aimerait penser de lui. En fait, il me courtise par le haut.

— Je ne sais pas si j'ai vraiment envie de m'embarquer là-dedans. Ce que j'aime, c'est observer, raconter. Les gens comme Tomy, tu sais le fou du Mesa Grill, je ne cours pas après.

— Ils ne sont pas tous comme lui, me répond-il.

Effectivement, Marco est très différent.

— Oui mais, entre nous, cette histoire de bulle Internet, c'est du vent pour rigoler un peu, non ?

Il a l'air déçu :

— Tu n'as rien compris. Internet va libérer nos vies. Les gens seront plus heureux parce qu'ils auront plus de temps, plus d'infos. Il y a des tonnes de choses à faire. Il faut lever de l'argent maintenant. Si tu n'es pas capable de perdre, faut pas jouer.

Très sage dans son maillot de bain Ralph Lauren, Marco ne m'approche pas à moins d'un mètre. De retour à Manhattan, dans le taxi qui doit nous déposer dans nos appartements respectifs, il se jette sur moi. Le taxi fait plusieurs fois l'itinéraire entre nos deux appartements. Personne ne descend jusqu'à la panne d'essence. Marco y laisse une petite fortune.

Quelques jours plus tard, Jérôme nous prend en flagrant délit dans une rue de Chelsea. « Vos routes devaient se croiser. C'est bien pour toi. Bonne chance. » Exit, la bohème. Avec Marco, nous formons un couple de *strivers*. J'ai l'impression qu'il va me prendre en main, me montrer le chemin. À deux, on est forcément plus forts.

6. Printemps-été 2000

Mi-avril 2000, soit un mois après avoir atteint son plus haut niveau, le Nasdaq perd 40 % de sa valeur. Selon les analystes, d'ici à deux ans, près de la totalité des sites auront disparu. Les vestes se retournent, la machine à cash se grippe, Darwin est au travail. Les fonds ferment le robinet et déterrent des thèmes éculés : réserves financières, rentabilité, *cash flow*. C'est le krach : plus de projet, plus d'argent, plus personne pour y croire. Les *day traders*[1] se jettent par la fenêtre. Un type débarque chez son dernier employeur. Il ouvre le feu sur ses anciens collègues, retourne l'arme contre lui. Endetté pour plusieurs vies, il avait tout perdu.

Pour sa campagne de lancement, une société Internet a réservé les meilleurs emplacements publicitaires de Manhattan. Au moment de coller les affiches, elle a englouti 40 millions de dollars et n'existe déjà plus. Aucune autre société ne peut s'offrir ces panneaux gigantesques. Le site mort-né reste sur tous les murs jusqu'à la fin de l'été.

Les fonds nettoient leur portefeuille, les entrepreneurs tombent de la tour d'ivoire. « Quand la marée descend, on sait enfin qui nageait nu », jubile un *Warren Buffet*[2] donneur de

---

1. Individus ayant renoncé à leur emploi pour mieux boursicoter.
2. Homme le plus riche du monde (après Bill Gates) suite à ses investissements précurseurs dès les années 70 dans les grandes marques américaines (Coca-Cola, American Express). L'un des seuls investisseurs à avoir refusé de miser sur Internet car, de son propre aveu, il n'y comprenait rien.

Net Slaves : ils ont sacrifié salaires et qualité de vie pour la fortune avant trente ans. Ils découvrent les semaines sans week-end et les licenciements à la pelle. Sur Internet, ils dressent le palmarès des employeurs les plus crevards.

leçons. Les ménages américains sont ruinés, les petites mains de la Nouvelle Économie se transforment en **Net Slaves**. Les mastodontes dépècent les petits poussins qu'ils craignaient quelques mois auparavant. Bal des vautours, l'économie brûle ses idoles. Même le *New York Times* titre : « On vous l'avait bien dit ! »

Très vite, dans ma vie, il n'y a plus qu'un Marco obnubilé par la survie de son entreprise. Nous nous serrons les coudes et nous isolons un peu plus. Mes dents ont repoussé. Il n'y a plus rien à ronger. Les clients partent un à un. La fête est finie. Marco n'a le temps de rien. Je passe mes dimanches à l'attendre, dans sa cage à lapins de luxe de Battery Park avec vue sur le New Jersey. Marco a choisi son appartement pour être au plus près de son bureau du World Trade Center. Il n'a jamais déballé les cartons de son déménagement, les murs sont blanc hôpital, les étagères presque vides. Quelques livres tentent leur chance : Sun Tzu, *L'Art de la guerre*, *La Cuisine pour les nuls*, et une anthologie des otaries. Au zoo de Central Park, il peut aller les regarder pendant des heures.

Je ne vois même pas passer le printemps.

En juillet, je prends un aller simple pour Las Vegas. À l'aéroport, je loue une voiture, achète un jerrycan d'eau, fonce droit vers la Death Valley. Du sable, des cactus, une langue de bitume qui fume en cisaillant le désert. Je suis Thelma sans Louise. Fenêtres ouvertes, je hurle, avec Björk, *Emotional Landscape*. En plein désert, tout à coup, sirènes et gyrophares, un shérif m'arrête bruyamment.

— Vous êtes un danger public, m'assène-t-il.

Je n'ai croisé que des charognards pendant des heures, l'écoute religieusement : il est beau comme dans la publicité Canada Dry. Sur l'amende, je souligne mes coordonnées dans l'espoir un peu vain qu'il me téléphone.

À la sortie du désert, j'ai rendez-vous dans un bar improbable du Nevada avec un copain de promo. Mathias est sorti d'HEC avec plusieurs années d'avance. Il y était à l'étroit, comme en France. Il se perd et se cherche au bord du magistral lac Tahoe. Dans sa cabane en bois pourri, il se laisse pousser la barbe, la crasse et le ventre. C'est Big Lebowski. Il se planque derrière Miles Davis, son piano, son job *high-tech*, l'herbe qui fait rire.

Il m'emmène dormir dans le lit d'une source chaude du Yosemite. Rendez-vous sur la Lune, nuit à la belle étoile. Nous discutons jusqu'au petit matin. Mathias s'extasie devant le lever du soleil, fait quelques poses de yoga. Il me tend un jus de gentiane sucré au miel. Il est nu, n'a jamais rien eu à cacher. Dans cette région de babas cool accros aux technologies, il attend que jeunesse se fasse.

Je traverse Palo Alto, capitale mondiale de l'économie Internet. L'écosystème de la ville est bouleversé par la raréfaction de l'argent : les Porsche sont revendues, les ghettos pour riches vides, les magasins tirent le rideau. Plus personne ne joue au Golf. Starbucks offre des rabais sur ses *Frapuccino*[1]. Le régime *bagel-cream cheese* revient à la mode.

Je file dans la torpeur de la Napa Valley. Sur ma route, je ne vois que des oasis pour vieux ou très riches. Le *Lonely Planet*, ce guide pour diplômés d'école de commerce qui s'imaginent baroudeurs, pointe un lieu hors norme au nord de Calistoga : Harbin Hot Spring. Caché dans un cirque de pins, un ashram est installé autour de sources d'eau chaude. Bains de boue, architecture verte avant l'heure, nature magnifiée, alimentation macrobiotique, cours de yoga, centre de massages pointus, solutions d'hébergement pour tous les budgets. Mais prises d'ordinateur et connexion haut débit dernier cri. Gourous de l'Internet et vétérans du Vietnam cohabitent gentiment. À poil, on est tous pareils et, ici, tout le monde vit nu. Je signe la décharge : signaler tout geste à caractère sexuel et renoncer à toute poursuite judiciaire en cas de malaise cardiaque.

Au volant de ma voiture, sur la petite montée vers le parking, je croise un homme moustachu, tout en poils. Nu comme l'air, il court à contresens vers moi. Je n'avais jamais vu cela : libéré de ses apparats, *Bambi* décolle.

J'enlève tout. Mine de rien, je reluque en silence : body-buildés, bronzés et rasés de frais, les corps ont l'air de s'aimer.

---

1. Café glacé nappé de caramel ; 6 dollars à emporter.

Dans un bassin, j'assiste à une séance de watsu : immergé jusqu'aux épaules, un instructeur porte dans ses bras, comme un enfant, un candidat au voyage. Il le berce, le contorsionne, le redresse, le fait couler puis respirer. Au bout de quarante-cinq minutes, ils sont en osmose parfaite. L'élève a tellement confiance qu'il ne se bouche plus le nez pendant l'immersion. Il entre en transe, craque comme un bébé, pleure sa mère, appelle au secours. Il régresse pour espérer avancer. À part ces quelques gémissements, le vent dans les pins et les tressaillements des animaux de la forêt, le silence est absolu. Je suis bien en Californie, en plein trip New Age. L'air est chaud, New York et sa morosité, loin.

À l'autre bout du bassin, je remarque un homme un peu comme moi : jeune, seul, déboussolé, le regard perdu vers la vallée, hagard. Une petite boule en bois autour de son cou interdit de lui adresser la parole. Il est là pour méditer. La route 101 qui relie San Francisco à Palo Alto est à trois heures d'ici. C'est un recalé de la Net Économie, un débouté des *venture capitalists*. Jeunesse partie à l'aventure, il a foncé droit vers le fond de la piscine. Face à cet homme qui ne veut pas parler, j'ai l'intuition que cet ashram est le dernier rempart avant l'amertume.

À la tombée de la nuit, les sacs de couchage s'alignent sur le teck encore chaud des terrasses. Portés par les branches, les membres de la communauté vont dormir suspendus au-dessus de la vallée. Je n'ai pas ce courage. Frileuse, je rejoins Marco au Hilton de San Francisco. Ses mains sont douces. Rassurantes.

7. Automne 2000

Derrière toute femme qui prend des risques, il faut chercher l'ombre d'un père qu'elle tente désespérément d'épater. Le mien est à New York lorsque le consul de France m'appelle : il m'invite au déjeuner organisé en l'honneur d'un ancien Premier ministre venu se ressourcer au bon air d'Amérique. Un domestique m'ouvre la porte : il a mon âge. Gênée, je lui demande comment il va. Le ministre est à la recherche d'une idée, d'une inspiration pour se relancer. Il passe l'économie américaine au scalpel. Je prédis un futur radieux grâce à Internet.

Dehors, les fonds d'investissement prennent le pouvoir, éjectent les *Chief Executive Officers* en baskets pour des vétérans passés par la crise de 1929. Des cabinets de psy se spécialisent sur la « gestion du traumatisme de l'éclatement de la Bulle », les coaches lancent leur site Internet. Tout est encore prétexte à *business*. Les vagues de faillites et de redressements sont si violentes que s'absenter de son bureau pour aller aux toilettes devient dangereux. Les *Net Slaves* s'accrochent à leur bureau, guettent le petit feuillet rose qui notifiera leur licenciement. Ils ont alors un maximum de deux heures pour disparaître. Ensuite, ils

Pink Slip Party : sorte de cérémonie vaudou où l'on va pour « célébrer » son licenciement, signifié aux USA par un feuillet rose – le fameux *pink slip* – que l'on découvre un jour sur son bureau. Au début, ces fêtes ont lieu dans des bars du Hell's Kitchen. Fin 2000, elles prennent d'assaut des salles de concert.

iront conjurer le sort à des **Pink Slip Parties**.

Mon discours est daté, le Premier ministre en retard de plusieurs trains. Sous les ors de la République, je suis devenue la reine de la mascarade.

A priori, Wayne est l'anti-Tomy. Rejeton WASP d'une très grande famille américaine, de celles qui font les Présidents, élevé dans les pâturages de Boston, accent Nouvelle-Angleterre, ongles manucurés, il vit sur le Trust de papa. Comme tous les vrais héritiers, il l'assume difficilement, admire les gens qui n'en sont pas. Pour lui, tuer le père, c'est renoncer aux millions. Problème de très riches. Wayne veut s'affranchir de l'empire familial construit sur l'élevage de moules et investir dans Internet. Sur son nom seul, Wayne siège au conseil d'administration des plus grands fonds d'investissement. Grâce à une étude, nous lui évitons de perdre la face avec un site vérolé. Pour une fois, quelqu'un lui a parlé franchement. En guise de remerciement, il veut investir dans ma société. Au Waldorf Astoria, à la réunion annuelle des sociétés de Hardbank Capital, le Fonds des fonds, Wayne me présente à Pat Smith, son fondateur :

— Voici la créatrice de l'une des sociétés de notre portefeuille. Je viens d'investir. S'il te plaît, prends bien soin d'elle. Envoie-lui des contrats.

En trente secondes, Pat Smith, l'homme le plus puissant de la Nouvelle Économie me donne son numéro personnel.

Wayne signe une lettre d'engagement, l'argent doit arriver. Pendant des mois, j'attends la confirmation de réception de la banque. Mais Wayne n'enverra jamais rien. Il ne répond pas à mes e-mails, ne prend aucun appel, je le crois même mort. Ancienne terreur du barreau parisien, Marco rédige mes courriers de relance. Wayne finit par m'appeler, excédé, en pleine nuit, de Shanghai. « Peu importe qui sont tes avocats. Les miens seront toujours plus forts. » Papa lui a tapé sur les doigts. Wayne fait passer des câbles à fibre optique dans le sol chinois.

8. Hiver-printemps 2001

Rien n'est plus gratuit, tout doit être rentable. Début janvier 2001, nous nous faisons éjecter *manu militari* de notre superbe bureau. Le manque d'argent rend cruelle ma propriétaire endettée. Par moins dix degrés, mes employés attendent, bras ballants sur le trottoir. Le camion chargé, j'appelle Marco à la rescousse. Nous échouons dans son son bureau du World Trade Center. Dans les sous-sols des *Twins*, je me dis que nous entrons dans l'ère de la survie.

Pour atteindre le 70ᵉ étage, il faut d'abord montrer patte blanche : dans le *lobby*, subir l'interrogatoire de l'un des quarante agents de sécurité. Franchir une série de tourniquets à lecture magnétique. Trois colosses poussent alors les visiteurs dans des ascenseurs grands comme des cabines de téléphérique. Ils n'hésitent pas à mettre les mains pour *optimiser* chaque voyage. Destination unique, le 47ᵉ étage, centre névralgique de la tour, arrêt pour la cantine. De là, partent à toute vitesse vers les étages supérieurs une dizaine de petits ascenseurs. Ils montent comme on va à la mine ; ils descendent comme on tombe.

Du bureau de Marco, un plateau de cinq cents mètres carrés, la vue sur la statue de la Liberté et l'océan est saisissante. Personne n'ose utiliser la table de ping-pong, on entend le moindre mâchouillement. À l'année, la climatisation bourdonne, les plantes vertes n'ont aucune chance : elles sont en plastique. Nous manquons d'air, de coups de sang, de portes qui claquent, d'envies. Ici, il n'y a rien à inventer ni à démontrer. Seulement se plier aux exercices d'évacuation des services de sécurité de la Port Authority.

J'ai peur dans le World Trade Center, comme j'ai peur dans ces ascenseurs. Je déteste ce crépi blafard sous les néons, cette moquette bleue rêche, ce faux cosmopolitisme, ce silence de mort. À l'intérieur, tout est badgé, vérifié. Ça pue l'amiante, Corporate America, l'enfermement. Il y a beaucoup trop de gens et de béton.

Phallus-miroirs, ces *Twins* sont le sacre d'un rêve mégalomaniaque d'un État dans l'État. Le World Trade Center est un code postal à lui seul, une adresse que je ne donnerai jamais. J'ai passé mon temps à dénoncer l'establishment. Je suis en plein dedans.

Un soir, pour tromper mon angoisse dans un de ces ascenseurs de malheur, je râle :

— Et puis merde ! C'est n'importe quoi, ces exercices d'évacuation, ces badges, ces tourniquets… Un missile et boum ! Toute cette surface de verre, ça vous inquiète pas, vous ?

Accrochée à la survie de ma petite entreprise, je ne vois plus personne. Même Marco. En apparence doux et attentionné, son cœur est verrouillé. Quand il aime, il dégage une bienveillance absolue et se libère comme un ogre. Mais cet hiver, il n'a pas le temps.

Après le travail, je traîne dans la galerie marchande du World Trade Center en rasant les murs. Rien à faire, pas de projet, personne à appeler. Le vendredi soir, je m'offre une pédicure au *chop chop* du coin. Pour tromper l'ennui qui a fini par me rattraper. Même à New York. À peine débarquées du charter, les petites Coréennes sont payées au pourboire.

L'une d'elles m'installe dans un fauteuil et plonge sur mes pieds. Elle est inutilement soumise : personne ne regarde plus mes pieds, même brillamment vernis. Ses petites mains sont blanches et fragiles. Elle a déjà fini et je n'ai pas encore lu l'horoscope de *People Magazine*. Elle veut me *rentabiliser*, me propose un *ten minutes massage* ou une manucure pour des ongles qui, à force d'être rongés, n'en sont plus. Elle court, sautille en faisant des tout petits pas dans son uniforme d'esthéticienne. Elle trébuche dans ses tongs, veut bosser. Les Coréens ont le monopole sur deux « curiosités » new-yorkaises : ces ongleries et les Deli ouverts vingt-quatre heures sur vingt-quatre. Ils sont les vrais entrepreneurs de cette ville. Ils dépannent ses habitants en faux ongles et faux fruits, investissent Manhattan par le centre : la 32ᵉ Rue est une petite Séoul.

Mac Brantley fait une carrière exemplaire à la tête des plus grandes sociétés d'études américaines. Intrigué par notre activité, en 2000 il a proposé d'être notre conseiller. Il n'a demandé que quelques parts, au cas où.

Mac n'a pas le temps de venir jusqu'à mon bureau. Nous avons des rendez-vous de travail mensuels dans les sous-sols de la gare de Grand Central. Il m'attend au Food Court. Toujours à la même table, avec son imper, son chapeau et son café à emporter dans un gobelet en carton siglé « Have a beautiful day ».

En avril, je dois lui remettre les comptes de la société. La veille, j'ai eu une terrible crise d'angoisse. À 4 heures, réveil en sueur, taxi en pyjama, Marco qui m'ouvre la porte et ses bras. Mesures d'urgences. Le matin, je ressemble à Elephant Man. Rompu aux blagues de footballeur américain, Mac laisse échapper :

— Waouh ! Est-ce que tu crois qu'un jour, tu peux être plus moche que ça ?

Je m'assois en regardant les trains qui partent pour les banlieues chic. Ma société s'appelle *Trainspotting*. Littéralement : les vaches qui regardent les trains passer en rase campagne.

Je déménage dans Grove Street, une rue de charme, d'arbres et de soleil du West Village. J'habite enfin seule dans un appartement sans trop de cafards. Je sors un peu de la **rat race**.

Rat race : style de vie dominant à New York. Course absurde que l'on ne contrôle plus, à toujours plus de compétition et d'objets. Analogie avec ces 70 millions de rats que l'on croise sur un trottoir au détour d'une poubelle. À force, on se surprend à les regarder avec mansuétude et humour. Tant il arrive que l'on se sente proche.

Je bosse nuit et jour, effectue deux allers-retours par mois à Paris, pour essayer de décrocher d'hypothétiques contrats. L'année passée, les clients appelaient tout le temps.

Pendant mes séjours à Paris, je retrouve Nicolas. Revenu d'Australie, il a décroché un job dans une de ces start-up gonflées à bloc par les millions d'investisseurs moutonniers. Ses copains sont *Chief Evangelist Officers*[1], roulent en Beetle de fonction. Ils paradent aux *First Tuesdays*, donnent rendez-vous au Buddha Bar, se croient déjà en Amérique. Nicolas jongle avec les soirées et ses conquêtes :

— Tu vois, m'explique-t-il, avec ces filles, on a juste envie de se rencontrer. Frôler une nouvelle peau, sentir un nouveau corps. On se donne une nuit. Elles savent très bien que le lendemain, c'est fini. Je leur apporte du plaisir. Mieux ! Je les aide. On ne le dit jamais assez : ces filles sont demandeuses. Je te jure.

Comme lui, j'ai terriblement besoin d'être dans le mouvement. J'aime tout le monde et personne vraiment. Nous sommes « potes ».

---

1. Directeur de l'évangélisation : fonction proche d'un directeur de la communication interne. Titre apparu avec l'Internet, religion à évangéliser.

Un jeudi, dans mon bureau du World Trade Center, je reçois un mail de Nicolas : « À Paris, je suis comblé. Tout est génial. J'ai rencontré une femme incroyable. On s'est installés ensemble. Je me pose enfin. C'est tellement bien de rentrer chez soi le soir avec quelqu'un qui t'attend. Je vais probablement me fiancer avec elle. »

Quoi ? Le baroudeur crève-cœur découvre les bonheurs domestiques. Il a trouvé LA femme. Ce n'est pas possible : il a toujours dit que c'était moi. Qu'il fallait juste que j'attende un peu.

Je l'appelle dans la seconde. Il décroche, je pleure, menace, s'il confirme ses écrits, de sauter du 70e étage. Nicolas ne sait pas que les fenêtres des *Twins* sont scellées. Affolé, il débarque à Manhattan le lendemain soir : en fait, il se fiche complètement de cette fille ; il a dit n'importe quoi. Je lui fais partager ma petite vie new-yorkaise. Sur nos rollers, nous nous adorons pendant vingt-quatre heures. Au réveil, le lendemain, il dit :

— C'est gentil tout ça, mais ce n'est pas encore le moment. J'ai encore d'autres choses à vivre.

Nous déchirons tout. Quand il monte dans un taxi pour l'aéroport, je me jure de ne plus jamais le revoir. À Paris, il rompt avec sa pseudo-fiancée, reprend sa vie de kéké.

Pendant l'hiver, le yoga prend comme une épidémie de grippe. Tout le monde s'essaie à cette tentative de régulation du n'importe quoi. Sur l'ordinateur portable que les New-Yorkais trimballent en bandoulière, un tapis de yoga. Gucci sort un petit sac adapté à 500 USD. L'environnement économique se durcit, les « communautés yogis » bourgeonnent.

Le Laughing Lotus s'installe dans un deux-pièces reconverti à quelques blocs de chez moi. Tout est rose, en plastique, enfantin. « *Let the beauty in you embraces the world*[1]. » L'anglais dissimule le ridicule. Ici, on s'ouvre les chakras ! On ne plaisante pas avec le yoga.

Dans cette bonbonnière, l'encens couvre difficilement l'odeur des corps et des esprits à la recherche d'un équilibre. Le gong ne peut lutter contre les sirènes de la ville. Tina, la maître yogi, entame le cours par des mantras sur l'échec et l'adversité, sources d'apprentissage. Elle appelle les divinités qui veillent. « Tout n'est que mise à l'épreuve, dit-elle, libérons-nous de notre culpabilité ! » Et nous répondons en chœur « ohmmmm ».

Dans ses fripes rapiécées, Tina l'illuminée aux cheveux rouges est une vraie femme d'affaires. Ex-banquière, elle ne s'est jamais remise de la vacuité de Wall Street ni de son voyage en Inde. Au bord du gouffre, elle s'est métamorphosée en « messager de l'amour et de la lumière ». C'est écrit sur son site. Trop intelligente pour ne pas être dupe : l'avalanche kitsch

---

1. « Laissez votre beauté intérieure embrasser le monde. »

rappelle qu'elle ne doit pas être trop prise au sérieux. Elle forme d'autres yogis, lance des cours de rire, prévient par SMS d'une session surprise au coucher du soleil. Sur le toit d'un immeuble qui sert de cours de récréation à une maternelle, Tina se perche au sommet du portique de la balançoire. En équilibre sur une main, elle chantonne ses instructions à un petit groupe de fidèles dorés par la lumière de juin. Son studio est couru par toute la ville. Un an après son lancement, le Laughing Lotus déménage à Chelsea. Il occupe tout un étage.

Derrière son masque de gentillesse, Marco bouillonne d'angoisse. Un soir, je le récupère en plein délire :

— Y en a marre. J'en ai RAS-LE-BOL. J'arrête, j'arrête je te dis. Tu m'entends ? Je me CASSE DE LÀ. Je pars faire du bateau. C'est n'importe quoi ! Viens, on va se marier. Les autres ne comprennent rien.

Il y croit le temps d'une soirée. Le lendemain, il repart travailler.

Quand il décroche de son écran, il prend le prochain avion pour aller loin et seul. Il fuit dans des hôtels hors de prix au décor minimaliste. Traitement de VIP sur des îlots de crève-la-faim. Les corps huilés de *Clinique SunCare* font du *snorkeling* et jouent au badminton dans un ghetto.

Quand il a moins de deux jours devant lui, Marco m'invite à dîner. Il me traîne dans des Multiplex voir de l'**hormone entertainment**. Il veut s'abrutir. Nous sommes malheureux.

Hormone entertainment : en provenance de Californie, industrie qui, à grands recours d'images trafiquées et d'effets spéciaux, véhicule des personnages, produits et rêves liposucés et des idées de silicone.

Je croyais avoir encore le temps de m'amuser, de faire un peu n'importe quoi, de vivre sans regarder la montre ni le rétroviseur. Quand j'ai commencé à vouloir devenir riche, je suis devenue triste.

9. Été 2001

Il y a des matins comme ça où l'on se réveille et ça ne va pas. Dans un dernier sommeil, je revois le film de ces derniers mois : faillites, scandales, mensonges encrassent la ville qui sourit de plus en plus jaune. Les New-Yorkais sont sur les dents, l'agressivité, palpable. Tout le monde sent le vent tourner. Nous avons perdu en un an 80% de notre chiffre d'affaires. 80% de pas grand-chose pour dire vrai. J'étais entrepreneur, je suis devenue schizophrène. Mon rêve s'en va. Je me raconte que tout est de la faute de notre installation au World Trade Center, de son *bad karma*.

Ce matin-là, je dois signer le bail d'un nouveau bureau. C'est un déménagement pour tromper la défaite. Plongée dans mes mauvaises pensées, je monte en silence dans un taxi. Son chauffeur a dû être formé à la Islamabad Driving School : il conduit par à-coups dans un Manhattan désert. Il se range, je lui tends 4 dollars sans un mot. Il me jette la monnaie au visage en me traitant de *white trash*. Est-ce la façon dont je suis montée dans son taxi ? Le ton avec lequel je lui ai donné l'adresse ? Ai-je besoin de me réveiller, de comprendre que tout bascule ? Nous sommes deux caricatures folles. Il sort de son taxi ; je sors de son taxi. Il claque la porte ; je claque la porte. Il s'arrête derrière le coffre, arme son bras en hurlant. Il jure en paki, crache vers moi, remonte dans son taxi, démarre en trombe, grille le feu, manque de s'emplafonner contre un bus qui déboule sur Broadway. Collée à l'arrière d'un bus, une affiche glisse sous mes yeux : concert du rappeur 50 Cent, *Get rich or die tryin*[1]. Seule au monde, je me mets à détester cette ville de fous où les femmes doivent être des hommes. Je veux prendre l'avion, en finir, cet après-midi, là maintenant. Je suis trop seule. Je me mets à courir, autour d'un bloc, deux blocs, trois blocs. En attendant que cela passe.

Trente minutes plus tard j'entre bouffie par les larmes et le regard fou chez Balthazar. C'est une *bobos' place* de Soho pour hommes d'affaires feignant la sophistication. Dans cette partie-là des États-Unis, être français reste chic. M'attend le propriétaire de notre futur bureau, un ex-financier au bord de la faillite reconverti en *coach*. Déjà dépressif. Il partage un *café latte* avec mon plus proche collaborateur. Aucun ne me demande ce qu'il m'est arrivé. *Another one bites the dust*[2], c'est devenu monnaie courante. Je signe le bail et sur le papier cela coûte cher. Je ne saurai jamais ce qui m'a finalement convaincue d'entrer dans ce restaurant. Nous déménageons du World Trade Center le 1er juillet 2001.

---

1. « Deviens riche ou meurs en essayant. »
2. « Quelqu'un d'autre mord la poussière. »

11 septembre 2001, 8 h 53 au bureau. Premier appel du matin. C'est Marco au téléphone :

— Ne t'inquiète pas.

— De quoi ? Et au fait, bonjour. Ça va ?

— Écoute, reprend Marco, CNN dit qu'un avion de tourisme a fini par se prendre le World Trade Center. C'était couru d'avance, hein ?

— Quoi ?

— Rien de grave. Je n'ai pas le temps de t'expliquer. Il faut que je prévienne mes employés. Je te rappelle.

La veille, Marco s'est épuisé sur un contrat de vente. Il a inventé un service de transactions bancaires, « je te jure, de quoi faire pleurer CitiBank ».

À cent cinquante mètres des *Twins*, Marco n'a rien vu ni entendu. Pas même son réveil. Ce matin-là, le vent souffle à l'ouest et l'Hudson River scintille. Agacé par ce temps qui file sans lui, il s'est levé, a allumé Bloomberg TV. C'est sa météo. Tout ce qui compte. En se rasant, il a vu le *future* du Dow Jones dégringoler anormalement. Et puis il m'a appelée à mon bureau.

Je veux voir. Par réflexe, j'attrape un appareil photo. J'ignore le téléphone qui sonne beaucoup trop pour un matin et entraîne mes quelques collaborateurs au sommet de l'immeuble. Dans les escaliers, nous faisons la course. Sur le toit, personne ne joue. Mes voisins sont tous là, éberlués. Devant nous, les buildings se disputent un peu d'espace dans ce décor de carton-pâte. Comme des milliers d'allumettes, les New-Yorkais se sont alignés sur les toits et regardent vers le sud. Vers les tours qui se détachent du bleu parfait. L'air est clair, je pourrais les toucher. L'avion de tourisme a donné un coup de canif sur le flanc de l'une d'elles. En feu. Tom, un de mes collaborateurs, me prend en photo devant.

Been there, done that, got the tee-shirt[1]. Sur la photo, je souris si fort que je vieillis d'un coup.

— *You guys are sick*[2].

Un type à la mine décomposée me traite de malade. Radio collée à l'oreille, il explose en larmes. Hurle que c'est une attaque terroriste. D'autres avions voleraient vers Manhattan. Vers nous.

— C'est la fin du monde, pleure-t-il.

Cela ne me fait rien. Un peu comme une morsure de requin. Fulgurante, la douleur n'atteint pas le cerveau.

Au bureau, le téléphone ne fonctionne plus. Les e-mails pleuvent sur les écrans. Avec nos correspondants, il n'y a plus de statut social. Mais toujours les mêmes mots : « Mon Dieu, je ne pense qu'à vous. Que se passe-t-il ? »

Ils relaient les consignes d'évacuation, nous informent : la tour Sud est touchée, la tour Nord est tombée, les tunnels et les ponts sont fermés, l'Empire State serait la prochaine cible. La mort est à huit blocs.

Mon père parvient à me joindre. Pour une fois, sa voix monocorde de psy s'envole. La mienne refuse de dérailler comme je refuse de croire à cette histoire.

---

1. « J'y suis allé, j'ai fait ça et j'ai ramené le tee-shirt. »
2. « Espèce de malades. »

— Ici, tout va bien, je te jure. D'où je suis, c'est toujours l'été, le ciel bleu, l'air pur. New York, quoi !

Ils sont devenus fous. Ou alors c'est moi. Vu du reste du monde, c'est une journée en enfer. D'ici, c'est une très belle matinée de septembre avec une attraction un peu particulière en bas de la ville.

Nous remontons sur le toit. La tour Sud sursaute une dernière fois et s'atomise sous nos yeux. De bloc en bloc, une onde de cris reflue. Alors, nous crions. Comme lors d'un feu d'artifice, le son circule moins vite que l'image. Au cinéma, New York est toujours la ville par laquelle arrive la catastrophe.

Les tours tombées, nous nous replions sur nos écrans d'ordinateur. La connexion Internet lâche à son tour. Le fil est coupé, nous n'avons plus que nous. Mes quelques stagiaires et employés ont cru à mon aventure d'apprentie entrepreneur partie à la conquête de l'Amérique. Maintenant, ils sont là. Qu'est-ce que je dois faire d'eux ? Qu'est-ce que je dois faire de moi ?

Il faut sortir des buildings et trouver un poste de TV. Tout le quartier a la même idée. Au *sport bar* du coin, le taulier ne fait pas payer. Il est persuadé que son heure est venue. Sur les écrans, NY1 a l'exclusivité de l'événement, les chaînes satellites sont hors service. Cas de force majeure : leur relais était posé au sommet des tours. Les journalistes effondrés n'en savent pas plus que nous. À chaque pause publicitaire, la rumeur reprend son brouhaha : le Golden Gate torpillé, un avion écrasé en Pennsylvanie, JFK piraté, le Capitole attaqué, le Président en fuite. Le quartier est bouclé, on ne voit plus rien, les gens hurlent. Il faut rentrer chez soi. Mais où est Marco ?

J'embarque mon équipe vers le sud. La rue a perdu son rythme, ses bruits. Les taxis ont disparu, le métro ne roule plus. Nous zigzaguons entre des New-Yorkais abandonnés au bitume. Résignés, ils remontent vers le nord en silence. Rien ne sort, rien à dire. En s'effondrant les tours ont coupé le son. Les méchants blindés s'alignent sur Houston Street. Les F16 patrouillent dans un ciel qui s'en fout. *Cops* et militaires sortent de nulle part. Sérieux, professionnels, puissants, ils sont en retard. Les ambulances hurlent. Elles crient pour ne pas penser. Je n'entends qu'elles.

Vers midi, le vent tourne au nord. L'odeur de métal et de chair carbonisés se répand. Je dois capituler. Je suis forcée de *ressentir*. Comme une mauvaise conscience, l'odeur s'incrustera partout. Les vents et le temps n'y pourront rien. Dans une dernière grimace, l'insouciance a fermé la porte derrière elle. À double tour.

Plusieurs heures plus tard, Marco débarque à la maison. Rasé de près, chaussures briquées, il porte une chemise bleue de chez Brook Brothers, sent bon l'eau de toilette. Depuis mon départ du bureau, mes bras se sont ouverts et ont réconforté une bonne dizaine d'inconnus. Lui n'en veut pas. Nos questions et regards l'agacent. Il avait trouvé deux places sur un Zodiac pour traverser l'Hudson River et s'enfuir vers le New Jersey. Quand le proprio lui a demandé 1 000 dollars, il a renoncé. Hormis cela, je ne saurai jamais ce qu'il a fait de tout ce temps aux portes de l'enfer. Ce qu'il a vu. Où s'est cachée son âme. La mort lui a tapé sur l'épaule. Il file à mon bureau sauver ce qui peut l'être. Il veut travailler, tout de suite.

Pour une fois, Marco est obligé de dormir chez moi. Au bord du gouffre, on s'aime un peu mieux. Nous nous serrons l'un contre l'autre pendant la nuit. À 4 heures du matin, je suis réveillée par les cris d'une femme. Seule dans la rue, elle hurle à la mort. Des passants tentent de la calmer. Je m'habille pour aller les aider. Trop tard. Ils ont disparu. Mon vélo aussi. À la grille de l'immeuble, son cadenas éventré pend impuissant. Comme moi. Mais tout à l'heure, que devrai-je faire ?

Au matin, je pars au travail en rollers, pour de faux. Je roule sur une île isolée dans un pays coupé du monde. Les rues sont désertes, mon quartier barricadé. Par crainte des émeutes, les magasins ont baissé leur rideau métallique. Dégoûtés par l'odeur, les rats se cachent. Recouverts d'une couche de poussière, des camions militaires sortent de l'enfer. Poussière de quoi, de qui ?

Dans la rue, entre les photos des personnes disparues, des affichettes appellent la population à donner : du sang, de l'eau, de la glace, des vivres, du sparadrap, des sacs poubelle. Je dévalise le supermarché et passe à l'association du quartier : débordée. Je file à l'hôpital donner mon sang : quatre heures d'attente. Je pars acheter des masques de protection pour les distribuer dans la rue : rupture de stock. Je m'inscris sur la liste des volontaires non qualifiés et me retrouve à faire des photocopies dans un hôpital de la 3e Avenue. À distribuer la soupe dans un commissariat à des policiers déglingués de fatigue. Ni infirmière, ni psy, ni pompier, ni chauffeur de bus, ni institutrice, ni rien du tout, même pas scout, grande gueule suffisante bardée de diplômes, je ne peux rien faire en temps de catastrophe. D'ailleurs, suis-je là, pas là ? Dedans, dehors ? Française, américaine ? Vivante ou morte ? C'est là, devant moi, à vingt-cinq blocs et je ne comprends rien. Mais tout de suite, est-ce que je peux respirer cet air ? Est-ce que je peux boire cette eau ? Est-ce que je peux encore croire à quelque chose ?

Le 14 septembre, Bush arrive enfin à *Ground Zero*. Il s'adresse à la nation : « Ne les laissez pas gagner ; ne les laissez pas nous détruire. Continuez votre vie comme avant. Faites du shopping ! » Tout le monde applaudit.

Le 15, les chaînes retransmettent un Téléthon organisé par George Clooney pour les familles des victimes. Le lieu d'enregistrement de l'émission est classé *Secret Défense*. Les acteurs ont une minute en direct face à la caméra pour dire ce qu'ils veulent. Julia Roberts conclut la voix cassée : « Aimez-vous les uns avec les autres. » Je pleure enfin. C'est devant la TV.

Le 21, Prada ouvre le plus grand magasin de son histoire au coin de Broadway et de Prince Street. Deux ans de travaux, 50 millions de dollars d'investissement pour une ouverture dans un Soho interdit au public et puant la mort. Mauvais *timing*.

Chaque jour, de 5 heures du matin à minuit, Giuliani est partout. Il enchaîne enterrements, conférences de presse, réunions de sécurité, coups de fil au Président. Le moindre de ses gestes est retransmis. Selon les circonstances, il change de costume. Il n'enlève jamais sa casquette de Yankee. Galvanisé par l'événement, il sait trouver l'attitude, le bon mot, le ton juste. Les New-Yorkais détestaient leur maire rigide. Aujourd'hui, il les tient debout. Il en a oublié son cancer de la prostate. À côté, Bush est un pantin en *rangers* qui pleure sa maman.

Je suis venue à New York comme on tape du poing sur la table. Pour le rêve, le souffle. Ce matin-là, quelques coups de cutters ont tout pulvérisé. Et j'ai découvert la loi de la gravité, l'odeur du kérosène et de la chair en putréfaction. C'en est fini de la mascarade, du rire qui se moque de tout, de l'ambition qui cache la déprime larvée. L'Amérique n'est plus un rêve. Ce n'est pas mon pays. Nous sommes en guerre. J'ai envie de rentrer chez moi. Mais c'est où, la France. C'est quoi, la France ?

10. Automne 2001

Fin septembre à Paris, je suis la survivante dont tout le monde veut entendre l'histoire du *Day I didn't die*[1]. Ma valise est remplie de tee-shirts « I ♥ New York ». Je suis une usurpatrice.

Devant un kiosque de presse, je tombe sur des images censurées aux États-Unis : des corps qui volent, des personnes coincées par les flammes agitant un mouchoir blanc comme pour demander une trêve. Une humanité au bord du gouffre face à son dernier dilemme : brûler vive ou faire le saut de l'ange. Mourir de toute façon. Mes yeux s'arrêtent sur la photo d'un colosse noir en plein vol. Je crois reconnaître l'homme qui avait voulu me vendre une assurance-vie. J'entends encore sa voix à la Barry White, début septembre : « Que Dieu me pardonne mais vous ne savez jamais ; pensez à ceux que vous laisserez derrière vous. » Il est mort le 11 septembre à cause d'un petit déjeuner d'affaires au Windows Of The World. Jamais je ne prendrai d'assurance-vie.

Après le 11 Septembre, certains plaqueront tout, refuseront de travailler dans des tours. D'autres achèteront des parachutes ou feront de leur épopée un *best-seller*. Éjectée de la réalité, je me terre, attends. L'œil abîmé, je vois l'obscénité partout.

---

1. « Le jour où je ne suis pas morte. »

Quand j'entre dans un lieu familier, j'ai toujours le même réflexe : regarder qui manque à l'appel. « Comment ça va, aujourd'hui ? » : la question est devenue taboue. La ville tourne au ralenti. L'économie aussi. Tout le monde rase les murs. Le sud de Manhattan est déserté, les commerces font faillite, personne ne les reprend. *For Rent* s'inscrit partout. New York se vide, les chiens errants rentrent au pays. Ceux qui restent gagnent en humanité. Ils ne sortent plus pour être vus. Ils reçoivent chez eux pour parler. Les conversations s'allongent, les regards s'arrondissent. Les New-Yorkais sont meurtris mais ils n'ont pas peur. L'anthrax n'affole que Fox News. Les postiers mettent des gants. C'est tout.

Au Carapan Spa, un type chauve d'une quarantaine d'années prend rendez-vous. Lumière tamisée, fontaine zen, bruit d'oiseau, décor de Santa Fé. Il a l'air pressé :

— Je veux réserver une séance hebdomadaire de massage. Pendant au moins un mois. C'est urgent.

— Avec plaisir, Monsieur. Mais quel type de massage souhaitez-vous ?

La fille de l'accueil a une voix d'hôtesse d'aéroport :

— Suédois, shiatsu, réflexologie, pierres chaudes, aroma-thérapie…

Il s'énerve sans la laisser finir :

— Je m'en fous. Donnez-moi le premier créneau possible. Je veux juste que quelqu'un me touche !

Son corps peut vibrer. Des mains doivent juste lui rappeler qu'il existe encore. Elle ne bronche pas :

— Très bien, Monsieur. C'est 150 dollars de l'heure. Il y a trois semaines d'attente.

Le studio de Tina devient un refuge. Chaque cours se termine par une méditation. Plongés dans le noir, allongés sur nos tapis et blottis sous une couverture, nous reprenons notre souffle. Tina s'arrête à côté de chaque tapis. Elle se frotte les mains avec une huile essentielle, masse les tempes et la nuque de chacun, pose un coussin de sable sur les yeux. Elle met un disque : Tracy Chapman, *All that you have is your soul.* Sous le sable, les yeux pleurent.

Le chômage se répand dans la ville et ses gratte-ciel. C'est l'heure des petits boulots, l'année où serveurs et chauffeurs de taxi sont diplômés de Harvard.

Trois métiers explosent : prof de yoga, **consultant** et *coach.* Ils relèvent de la même mesquinerie : se décréter sorti d'affaire, expliquer comment faire et monnayer ses services. À New York, tout se rentabilise, même les crises.

Consultant : typologie fourre-tout pour qualifier sa profession quand on ne sait pas quoi faire et/ou ce que l'on fait. Titre honorifique pour tromper la défaite.

New York excite la violence, canalisée dans le travail, et la solitude, érigée en condition de réussite. Il n'y a pas plus d'enfants à Manhattan que sur un champ de bataille. Les couples sont des ovnis, la solitude une industrie. Clubs de gym luxueux, destinations lointaines, sites de rencontre matrimoniaux communautaristes : tout n'est que parade pour se sentir exister ou se cacher.

Le long de l'Hudson River ou à Central Park, les femmes courent sans relâche très tôt le matin, avant le travail. Elles ont toutes le même petit mollet rond et ferme, sculpté dans les cours de step de *New York Sports Club*. La même fesse haute. Les mêmes jambes rasées par Gillette, prêtes pour la caresse. Elles portent la dernière panoplie *Nike Women*. Dans leurs baskets propres et leurs petites chaussettes blanches qui laissent apercevoir leurs chevilles délicates, elles avancent à petites foulées légères, pleines d'espoir. *My body is my machine*[1], toujours disponible. Elles courent attachées au labrador qui leur sert de présence humaine, un petit sac en plastique dans l'autre main. La lutte pour décrocher le « mari trophée », la bague de Tiffany et la photo dans les pages du *Sunday New York Times* est devenue féroce. À Manhattan, il y a quatre

---

1. « Mon corps est ma machine. »

femmes pour un homme. Le jeu du **stop and go relationnel** devient cruel. Je cours autant qu'elles.

Stop and go relationnel : conception utilitariste des relations humaines comme uniquement destinées à servir la performance d'un individu avare de son temps. L'autre n'importe que par ce qu'il apporte.

Pour payer mon loyer, je dois sous-louer mon appartement. Je passe une annonce sur Internet. Intéressé, un type demande à visiter. Il s'appelle Adam Burger. Il franchit le seuil de la porte, j'ai déjà envie de l'embrasser. Impossible de savoir pourquoi. Les rôles s'inversent. C'est à moi d'ajouter mon nom sur la liste de ses conquêtes. Nous cédons au rituel du rendez-vous amoureux new-yorkais : le premier jour, nous prenons un verre pour parler de l'appartement ; le second, nous dînons pour faire connaissance ; le troisième, nous allons au cinéma pour nous embrasser. Le quatrième, il donne le meilleur de lui-même. Le cinquième, il a disparu. Je pensais que le 11 Septembre avait raisonné un peu tout le monde. Adam Burger a fait de moi son hamburger. *One night stand* graisseux. J'ai voulu jouer, j'ai pris froid. Je retourne vers Marco. Nous offrons un alibi à nos solitudes. Il est une ancre qui empêche de partir, pas vraiment de chavirer.

Début décembre 2001, mon entreprise est au bord de la faillite. La fin des années 90 reste ma référence : l'euphorie et le grand n'importe quoi sont la normalité. Parfois, je cherche encore. Je ne veux pas voir l'ampleur de la catastrophe. Faut-il rentrer, rester, y croire encore ?

En trois mois, la petite levée de fonds que j'avais décrochée en juillet est grillée. Plus personne ne veut venir à New York. Passées les premières semaines où « nous sommes tous des New-Yorkais », la France réveille son vieux complexe d'infériorité. L'anti-américanisme revient en force quand Bush triche. La fracture atlantique se creuse. Poussés à la guerre par un Président qui fuit en avant, les États-Unis cessent d'être un modèle. D'un seul homme, les patrons se mettent à regarder à l'Est : tout se passe à Shanghai. C'est le système des vases communicants.

Nous n'avons plus rien à faire. Je ne suis pas désolée ; j'ai honte. Je dois licencier mes collaborateurs un à un. Je n'aurai que senti l'odeur du succès. C'est mieux comme ça. Je deviens accro au yoga.

Je participe à un déjeuner d'expatriés français triés sur le volet par le ministère du Commerce extérieur. Ce sont des

avocats redoutés négociant de grands *deals* aussi obscurs que lucratifs. Ou alors ils dirigent avec des airs pressés la crème de l'industrie française à l'étranger. Ils vont de capitale en capitale, emménagent dans des appartements toujours plus grands, placent leurs enfants dans des écoles internationales. Ils sont nommés par décret ministériel, leur plus grande angoisse est le retour en France. Leurs épouses sont animatrices à l'Alliance française, poules aux œufs d'or qui gloussent autour du sapin de Noël du consul.

Dans ce club de quinquas, je croise peu de femmes. Besogneuses de l'ascension sociale, elles sont bien plus fortes que leurs homologues masculins. Sèches et bien coiffées, elles grimpent comme des petits scarabées.

Quelques mois auparavant, j'ai été cooptée. Ce cercle de vétérans avait besoin d'une caution « jeune ». De montrer qu'il s'adaptait aux temps nouveaux de l'économie. Internet mis à sac, je n'ai plus ma place mais cela ne se dit pas. J'assiste aux réunions en me fondant dans le décor.

Chez Ducasse, je fais tache. J'attends que cela passe. Un serveur a placé un petit tabouret à côté de mon fauteuil. C'est pour mon sac à main. Les Argentins racontent que le poser à terre, c'est laisser s'enfuir l'argent. À la sortie, le portier hèle un taxi pour moi. Loin des quinquas, mon regard se détend, musarde de l'autre côté de la

Business de faute avouée/jugée/payée/ pardonnée : profession en surreprésentation chez les *capitalist pigs*. 70 % des avocats dans le monde exercent aux USA. Ici, la dramatisation est un principe et le purgatoire un business.

rue. Vers les calèches qui attendent le touriste pour une balade romantique dans Central Park. Leurs chevaux blancs portent des colliers de fleurs. Leur croupe est peignée, l'attelage briqué, le cochet raide comme un piquet. Là aussi quelque chose fait tache : une femme accroupie entre deux calèches. Les vêtements en lambeaux, elle porte toute la crasse de Manhattan. Elle fait ses besoins. En plein jour, entre deux calèches, sur Central Park South. En face de l'Essex House et de ses déjeuners à 200 dollars. Je démissionne du cercle de quinquas. Je ne ferai jamais partie de la « famille ».

11. Hiver-printemps-été 2002

Pendant l'hiver, je tente de vendre mon entreprise. Après des semaines de discussions avec ses avocats, j'ai enfin rendez-vous avec la prêtresse mondiale de la publicité. Les journalistes l'appellent quand ils n'ont plus vraiment d'idées ; plutôt souvent. Elle demande 10 000 USD pour une demi-journée de conférence. Son entreprise tient dans un hôtel particulier de Madison Avenue. J'entre par un jardinet. Je suis accueillie par deux chihuahuas agressifs puis par une femme, toute mielleuse. Elle me fait monter dans les appartements. Une coupelle sur un promontoire en argent attend à l'entrée de chaque étage sur un petit kilim. Les chihuahuas n'ont pas à se baisser pour boire. À part une salle de classe au rez-de-chaussée, il n'y a aucun bureau. Je ne croise que des femmes qui me saluent professionnellement. Quelques rombières et surtout de très jeunes : cheveux lissés, dents aiguisées, mains manucurées, chaussures Manolo Blahnik. Elles pourraient travailler chez L'Oréal.

La salle de réunion est une pièce toute ronde. Moquette épaisse, meubles anciens, orchidées et tableaux de maître autour de la cheminée. Elle me fait attendre vingt-cinq minutes dans son salon. Il n'y a rien à faire ni à lire.

Elle arrive enfin, tirée de partout, la chevelure blonde et disparate. Son rouge à lèvres Estée Lauder déborde jusqu'au menton. Elle me dévisage durement puis dit :

— Pardonnez-moi, très chère. Je suis débordée. Je reviens d'un *Board* avec Cisco et je dois partir pour Londres dans deux heures. Je suis en retard car mon amie Oprah, Oprah Winfrey bien sûr, vient de m'appeler. Enfin, je suis désolée.

Puis elle hurle à travers le mur :

— Karen, vous avez réservé la limo au moins ? Et les chiens, ils ont leur séance à 15 heures ?

Elle se tourne vers moi, l'air excédé, et dit d'un ton plaintif :

— Mon Dieu ! Comment les gens font-ils pour vivre sans Concorde ?

Je suis la moins bien placée pour en parler. Je ne réponds pas, ses yeux me transpercent :

— Bon. Assez de présentations. Je n'ai pas vraiment de temps. Alors, amusez-moi !

— Pardon ?

— Dites-moi quelque chose que je ne sais pas. Quelque chose que je n'ai pas déjà dit, fait ou inventé. Je vous donne deux essais.

J'aimerais avoir l'élégance de me lever et de lui coller un de ses chihuahuas à travers la mâchoire. Je bafouille péniblement. La grande prêtresse du *What's Next* me colle définitivement dans la classe des *has-been*.

Juin, pic de la saison des mariages sponsorisés par papa-maman dans le sud de la France. Je suis celle qui vient de loin, toujours seule. Marco n'a pas le temps. Je crâne en disant que j'habite New York. On m'écoute religieusement raconter l'histoire du *Day I didn't die*.

Bien habillées dans leurs petites robes roses Tara Jarmon, les filles s'extasient devant la mariée. Tout le monde sourit en se trouvant sympathique. J'arrive d'une terre où le mariage n'existe pas. Ou alors c'est un repas minuté au River Café suivi quelques années plus tard d'un divorce d'avocats. Au fond de l'église, bien cachée sous mon chapeau à fleurs, quand la mariée entre, son père à son bras, que la musique envahit l'espace et que l'audience se fait solennelle, je pleure toujours un peu. Marquer les étapes, c'est beau et triste à la fois. À la sortie, je ne sais que dire aux jeunes mariés : « Courage », probablement. Comme à un enterrement.

Nicolas me supplie au téléphone de passer quelques jours avec lui en France. « J'ai tellement eu peur de te perdre. Le temps est venu. J'ai changé, tu verras. Laisse-moi une chance. Juste une chance. »

Je le rejoins au Festival d'Avignon. Je veux assister au spectacle : l'écouter me séduire à nouveau. Je n'ai pas beaucoup mieux à faire. Nicolas revient dans ma vie à chaque fois que je m'ennuie. Comme l'angoisse.

Il me raconte son nouveau dada : l'Afghanistan. À la chute des Talibans, il est parti pour un projet de cinéma itinérant au pied des bouddhas défoncés de Bâmiyân. Je l'écoute pendant des heures me parler de paysages impossibles, la fierté des hommes, l'énergie joyeuse des enfants. Leurs grands yeux rieurs et leur façon de dire perfidement : « Salaam ! » Il m'offre *Les Cavaliers* de Kessel, me dit que rien n'a changé. Il fait l'impasse sur les *burkhas*, la misère, le chaos, la guerre, s'énerve quand je l'interroge :

— Tu ne peux pas savoir. Les Afghans sont *hyper*-heureux. Il faut que tu viennes voir. Ça te ferait du bien de sortir de ton *trip* capitaliste mesquin. Il faut que tu continues à voir le monde. Il y a plein de filles dans ton genre à Kaboul. Elles portent le voile et mettent des grosses lunettes noires. Comme Brigitte Bardot dans *Le Mépris*. Ça fait très *sixties*, Nouvelle Vague ! C'est la grosse classe !

Pendant notre séjour, il me gâte et me promet tout ce qu'il peut. Derrière ses lunettes bleues, il fredonne *Je ne veux pas travailler*, le tube de l'été de Pink Martini. Il me dépose au train du retour. Lui, file vers le Sud, rejoindre en Italie une fille qu'il a croisée en venant, à l'aéroport.

— Tu comprends, je me suis engagé maintenant. Elle m'attend. Je ne peux pas la décevoir.

Chaque moment qu'il donne est une concession à son petit bonheur individualiste. Une mise en abyme de son équilibre précaire. Nicolas ne fait que passer. Charmer et coucher.

12. Automne 2002

Je rends les clés de mon dernier bureau, donne les ordinateurs à Marco. Je n'ai plus d'employés, c'est terminé. « Tu es une petite fille qui a peur dans le corps d'une femme dure », me dit l'un d'entre eux en claquant la porte.

Je décide de rentrer définitivement en France en décembre. D'ici là, je veux retrouver ma relation à cette ville, poser une belle fin à notre histoire. Je veux tout voir, tout visiter. Tout courir. Rester occupée. New York est une très belle ville quand on ne sait pas où aller.

Je me mets au régime sec. Lors des dîners, je joue au petit oiseau qui picore. J'ambitionne une silhouette chétive. Chez des amis d'amis, je suis assise en face d'un homme au physique de gravure de mode. Il a le charisme de Malcolm X. Traits parfaits, yeux en amande douce, voix de crooner, peau d'ébène à croquer. Son regard est fulgurant. Hors catégorie, je l'ignore tant il est inaccessible. Il me remarque à mon verre d'eau :

— Quel est le problème avec le vin ?

J'ai juste le temps de remarquer qu'il a deux feuilles de laitue dans son assiette et qu'il boit du thé vert.

— J'ai arrêté, lui dis-je toute fière. Trop mauvais pour mon organisme. J'ai arrêté la vache aussi. Cholestérol, substance indigeste, mauvaise odeur.

— Ah ! Tu trouves aussi ? Tu fais quoi dans la vie ?

— Je ne sais plus trop en ce moment…

— Qu'est-ce que tu aimerais pouvoir dire à la fin de ta vie ?

Monsieur gravure-de-mode est un exalté ! Je tente quelque chose.

— Que j'ai servi à quelque chose.

— Génial ! Je m'appelle Denzel. J'ai monté ma boîte dans le développement durable. L'avenir du monde, quoi ! C'est quoi, ton numéro ?

J'ai passé l'entretien d'embauche, il me rentre dans son agenda. L'effet diète.

Denzel est un ayatollah du régime végétarien : jamais de gluten ni d'alcool, il tourne au vert à proximité de toute viande. Il est allergique au beurre, vomit à l'odeur du fromage. Les jours de fête il s'autorise quelques graines. Sinon, il ne vit que de légumes, de jus de fruits, de vêtements et d'accessoires : la petite casquette qui change tout, le vélo Scott à 10 000 USD, un baume des lèvres Khiel's qu'il passe sur ses lèvres toutes les heures pour qu'elles ne se dessèchent jamais. Il plie ses affaires sur le canapé avant de faire l'amour. Sa position dépend du nombre de calories à brûler, du type de muscles à faire travailler ce jour-là.

Quand il dort, Denzel ressemble à une statue. Je l'ausculte en cachette : pas un poil, pas un gramme de graisse, pas un pli inutile. Aucune ride. Rentabilisé au millième près, son corps est une œuvre d'art cubiste. À l'intérieur, Denzel a une vraie profondeur, forcément moins parfaite. Alors, il la cache, n'assume pas et se concentre sur l'enveloppe. Intégriste du contrôle de soi, il a cédé au **picking de l'ego**.

Picking de l'ego : recherche d'estime dans les objets. Pratique d'un individu en représentation constante. Il « s'essaie » au travers de panoplies qui viennent dire sa personnalité du moment. Et surtout son besoin maladif d'être regardé.

100

Il me raconte le chemin parcouru du Mozambique de son enfance jusqu'à ses galons professionnels arrachés à Corporate America. Il me parle de racisme, de travail, des femmes en m'expliquant que, pour lui, tout est plus dur.

Il me fait suffisamment confiance pour m'inviter chez lui. Un samedi, je passe derrière le miroir, entre dans son intimité : un appartement glauque de la 1re Avenue.

— Tu n'imagines même pas toutes les saloperies que tes chaussures ont touchées rien qu'aujourd'hui. S'il te plaît, avant d'entrer, enlève-les.

Le sourire niais, je m'exécute.

— Je te sers un jus d'herbe ?

— Non, de l'eau, ça ira très bien.

— Je n'ai que du Gatorade. Pour mes muscles, tu comprends.

— Ça sera très bien.

Il met un disque, je passe aux toilettes. Il a plus de produits de beauté que moi. Au niveau du bouton de chasse d'eau, sur le rebord du réservoir, il a posé un petit miroir. Dans celui-ci, à peu de choses près, je vois la braguette de mon jean. Il n'y a aucune limite à la vanité masculine. Denzel vit barricadé dans son exigence absolue. Celle de son sexe, de son corps et de ses déjections toujours parfaites. Beau en tout, il n'est gourmand de rien. Comment peut-on être aussi intelligent et promis à un destin si rétréci ?

Je prétexte un imprévu. Il dit :

— C'est tout toi, ça ! Tu débarques dans la vie des gens avec ta baguette magique de *frenchy* déclencheuse de prise de conscience. Et tu pars en courant dès qu'il s'agit de construire un peu. Toujours là pour faire la morale, jamais pour mettre les mains dans le cambouis !

Il tape dans le mille. J'aime séduire l'inconnu et le maintenir à distance. Que jamais il ne regarde à l'intérieur.

101

Je n'ai vraiment plus rien à faire, personne à voir. Temps imparti puis temps fini. Après sept déménagements en quatre ans, je repars définitivement de Manhattan. Je quitte le *freak show*. J'arrête les caricatures. Enfin, c'est ce que je crois. Je peux tout faire, tout devenir. Je retourne chez maman, en Haute-Savoie.

13. Hiver 2003

Dans l'avion pour Paris, Yannick Noah et Laetitia Casta s'étirent en première classe. Je suis en éco, coincée entre deux obèses américaines. À l'arrivée, elles sont surexcitées :
— *You know Paris*, c'est magnifique, *so beautiful, so romantic. Food is marvelous.* J'adoooore Céline Dion. Depuis que j'ai vu la tour Eiffel à Las Vegas, je veux voir la vraie.

En ouvrant le coffre à bagages, l'une d'elles fait tomber mon ordinateur. Il rebondit sur ma tête. Je suis déjà sonnée.

Bouche pâteuse, les jambes tirent, le corps est lourd, la lumière fadasse. Devant le tapis roulant qui vomit les bagages, un type tente de calmer sa petite fille qui hurle dans ses bras. Il rate sa poussette. Les gens ne bougent pas. Soudain, un grand type coiffé d'un bonnet rasta bouscule tout le monde. Tel un héros, il attrape la poussette et la tend dépliée à son propriétaire. C'est Yannick Noah, la gueule défoncée.

Au service des bagages, j'entends deux hôtesses discuter :
— Zut alors ! Ça arrive toujours avec quelqu'un de connu. Mais comment font-ils pour savoir ? Heureusement qu'elle est sympa !

Laetitia Casta détaille à un stewart en pleine extase le contenu de son bagage volé. Elle est toute petite, toute menue, toute douce. La France a bien choisi son marketing.

Premier jour de grève de l'année, le RER ne fonctionne pas. Dans la file d'attente des taxis, je lis *Gala* par-dessus ma voisine : Stéphanie de Monaco aime un dompteur de tigres ; Bruce Willis a adopté un caniche ; Cécilia Sarkozy pose sur les genoux du ministre de l'Intérieur ; Miss France raconte son enfance.

Dix heures du matin, le chauffeur de taxi allume une gauloise, m'engueule quand j'ouvre la fenêtre. Mauvais pour ses bronches fragiles.

— Elle arrive d'où, la petite dame ?

— New York. New York, USA. J'habitais là-bas, dis-je.

— Ah, ce Bush, il a tout compris. Faut qu'il tienne bon. Il va tuer tous les Arabes.

Je prie pour qu'il s'arrête là. Il est lancé :

— Mais j'y pense ! Vous y étiez, vous, le jour où les tours sont tombées ?

— Non, pas du tout. Je n'ai rien vu. Je n'étais pas là.

— Moi, reprend-il fièrement, j'étais devant ma télé. J'ai tout vu. Quel spectacle ! Quand même, ça m'a fait quelque chose. Saleté de bougnoules.

Je fais mine de m'endormir :

— Et là, vous faites quoi ? Vous êtes venue voir votre fiancé ?

— Non, je rentre en France. New York, c'est terminé.

— Ça va pas la tête ! Y a pas mieux que l'Amérique. Ici, c'est le bordel ! Vous savez combien d'heures il faut que je me coltine pour payer l'essence ?

Nous arrivons :

— Je vous dois combien ?

— 52 euros. Quelle connerie que cet euro !

— Bon, voilà… 52 euros.

— Ah ben, je vois qu'on est près de ses sous. Ça habite à New York, ça descend dans les bonnes adresses, mais c'est rapiat comme tout. Et bienvenue en France, hein !

Je n'ai pas d'argent, pas de sécurité sociale, personne ne m'attend. On me prête un appartement, je me cogne aux murs.

Le soleil est le meilleur moyen de récupérer du décalage horaire. Je m'installe avec un livre à une terrasse de café chauffée, paie 4 euros pour un Lipton Yellow abject. La tasse pue le Paic Citron. Paris est devenue plus chère que New York. Et plus mesquine.

À côté de moi, deux types d'une trentaine d'années ont dégainé Marlboro, crème solaire et Ray Ban. L'un porte un costume étroit sur une chemise bleu roi. L'autre a mis un jean et des Campers :

— C'est devenu n'importe quoi. Ils nous font bosser comme des fous. C'est plus du tout ce que c'était.

— Pas cool.

— J'te jure, au prochain plan social, je mets mon nom tout en haut de la liste. En attendant, j'arrive à 10 heures, je prends trois heures au déjeuner et je me casse à 18 h 30. Ça fait deux ans que je bosse. J'ai bien mérité mes Assedic. Ils ne m'auront pas, ces cons ! Saletés de patrons. Ils pensent qu'à s'en mettre plein les poches.

— Ouais, mais ta bagnole ?

— Ouais, je sais, *bye-bye* l'Audi de fonction. Enfin, je vais quand même négocier. Au pire, j'irai aux prud'hommes pour l'A4. Ils me doivent bien ça.

— T'as raison. Faut pas se laisser faire.

Deux filles gloussent un peu plus loin. Elles parlent fort :

— Non mais, j'y crois pas. J'y crois pas, je te dis !

— Mais quoi, enfin. Calme-toi un peu là !

— C'est hyper-grave. Comment cette grosse de Jenifer a pu gagner la *Star Ac'* ?

— Ben quoi ?

— C'est de la triche. On est manipulés. Ouais, MA-NI-PU-LÉS. Même ma grand-mère, elle a voté pour Dario.

Le soir, une amie m'invite à dîner. Elle a deux enfants, un appartement qui sent le talc, des meubles du Coran Shop. J'amène vin et fleurs. Je suis la seule. Personne ne se fait plus de cadeau. Nous discutons :

— Alors, c'est vrai que t'étais à New York le 11 septembre ? me demande ma copine.

— Ouais, c'est vrai. Je n'ai pas très envie d'en parler, là.

— OK, reprend-elle. Mais tu vas faire quoi maintenant ?

— Je ne sais pas, je débarque.

— T'as intérêt à te dépêcher, intervient son mari. Il faut que tu rentres vite dans le rang. Plus tu attends, plus ça va être difficile.

Je tente une diversion :

— Et toi, en ce moment, tu fais quoi ? dis-je au mari.

— Oh là. Je viens de récupérer la place de mon patron. Ça n'a pas été une mince affaire, cette histoire. Si j'avais su ! J'ai que des toquards dans mon équipe. Et pour quoi en échange ? Pour 5 % de pépètes en plus !

Je continue :

— Et vous avez des nouvelles de Lionel ?

— Ben lui, il a tout compris, répond le mari. Il bosse à Londres. Il fait du *private equity* et se tape des nanas pas possibles.

Ma copine se lève, part à la cuisine et ramène les tapas du traiteur. Son mari poursuit :

— Il gagne un fric monumental, le salaud. Même que, quand il vient, il ne dort pas chez sa mère. Il descend au Meurice.

— Et Sandra ? dis-je.

— Elle s'est hyper bien débrouillée. Après l'école, elle a signé chez BNP Paribas. En huit ans, elle a dû passer un maximum de treize mois à bosser. Congé mat' sur congé mat', puis congé sabbatique et re-congé mat'… Et paf, trois gosses ! La banque, c'est la planque ultime !

— Et Gilles ?

— Aux dernières nouvelles, il était à La Paz. Il a rejoint Benoît et Pierre-Yves. Quasiment tous ceux qui bossaient dans l'Internet font comme eux : douze mois de tour du monde sponsorisés par le petit contribuable. Trop fort, non ?

Au-dessus des sushis, je tente :
— Mais dites-moi, est-ce qu'il y en a un seul, je dis bien un seul, heureux dans son boulot ?
— Ah ben toi, ça se voit que tu viens des *States*, dit ma copine. T'as complètement perdu le sens des réalités.
Son mari enchaîne :
— Tu comprends : on a débarqué chez Mac ou Arthur la fleur au fusil. On a bossé comme des dingos. Des nuits sur les chiffres, des journées dans les entrepôts à tout recenser, crayon rouge, crayon bleu, régime Guronsan pendant des mois et pour quoi ? Un déj' chez Ladurée ? La *business class* les jours de fête ? Un bureau un peu plus grand ? Dès que tu montes en grade, tu le fais payer au mec qui te remplace. T'étais maso, tu deviens sadique.
Sa femme explique :
— Aujourd'hui, il y a des vieux accrochés à leur pouvoir et des stagiaires et des juniors qui bossent en bas. Entre les deux, personne ne fait rien. Pour les jobs intéressants, il faut attendre quarante-cinq ans.
— Et encore, ajoute son mari, si tu ne t'es pas fait éjecter du système avant.
Ils n'ont pas trente ans. Le pic de leur vie a été l'école de commerce. Le mari reprend :
— Ah si, y en a quand même un qui a l'air de s'éclater, Nicolas, en Afghanistan, c'est *chan-mé* son truc. J'ai vu son portrait dans *La Tribune*.
Depuis son mauvais spectacle d'Avignon, nous ne nous parlons plus. J'essaie d'oublier Nicolas. À Kaboul, il est entrain d'écrire la *success story* du moment : relancer les

médias en Afghanistan. Ses ex se pâment. Je l'envie, cela m'agace. Je peux aller me coucher, prétexte : le décalage horaire.

Je rentre à l'appartement, allume mon ordinateur, consulte mes e-mails. « *Flore Vasseur, enlarge your penis.* » À part les spameurs, personne ne pense à moi.

Marco vit toujours aux États-Unis. Après l'effondrement de son bureau dans les tours, il est reparti de zéro. Il m'aime depuis mon départ de New York. Il adore les week-ends d'hiver à Miami. « C'est encore mieux si tu es là », dit-il. Je prends l'avion. Je n'ai jamais été capable d'être seule. À Paris, encore moins.

À l'aéroport de Miami, il loue une Corvette décapotable. Casquette vissée, il saute par-dessus la portière avant. Il atterrit tête la première sur le frein à main, rit enfin de lui. Il met *Eye of the Tiger*. Nous filons sur le bitume. La route est suspendue entre des lagons verts. Au loin vers la mer, Downtown Miami impose quelques gratte-ciel pastel. Les palmiers frémissent sous la brise du soir, l'air est moite. Il m'emmène sur une plage, m'offre une bague avec un diamant, commande un Daiquiri sans alcool.

Plus tard, dans la Corvette, Marco m'explique la vie :

— Tu comprends, Miami, c'est un peu le paradis. Tout le monde est beau, tout est parfaitement à sa place. Et surtout, c'est tellement propre !

Il ne voit que les filles en bikini, les haies parfaitement taillées entre les maisons blanches, les belles voitures, le Coca light. Il confond mouettes obèses et goélands. Pour moi, c'est la capitale mondiale de la tartufferie. En Floride, Barbie a soixante-dix ans. Elle s'appelle Nancy.

Paul, son mari, était 12 sur 20 chez General Motors. À sa retraite, il a touché le pactole : l'arrivée à échéance de son 401K[1]. Nancy et Paul ont quitté Detroit pour Boca Raton. Pour eux, ici, la vie ne fait que commencer. Ce déménagement est l'accomplissement de tous leurs rêves. Ils connaissent les Caraïbes par cœur, jouent au golf avec leurs amis réfugiés, eux aussi, des terres froides et industrieuses du Nord.

Dogme du forever young : idée que le champ des possibles s'ouvre avec l'âge, a fortiori à la retraite. Se croire au-dessus de tout, investi de rien. Rester dans une éternelle errance, le droit à l'expérimentation en tout, la culpabilité en rien.

Tyrannie de la jouissance : la jouissance est devoir de citoyen. C'est perpétuer le système, intérioriser ses règles et codes : agir, consommer en cherchant tous azimuts les occasions de se faire jouir. Lorsque le progrès technique a rencontré ce diktat, il a inventé le Viagra.

Le **dogme du forever young** les a convaincus : le monde est à leur image. Ils revendiquent la jeunesse en dépit de tout : la peau qui tombe, la vue qui baisse, les articulations qui coincent, les dents à changer. Sur les terrains de tennis, au restaurant, au Multiplex, la municipalité s'est adaptée à ce lâcher permanent de mamies. Elles ont le **devoir de jouir**. Les trottoirs sont larges, il y a des loupes dans les allées de supermarché pour lire les étiquettes, des fauteuils dans les magasins pour se reposer. Tout est bas : basse la musique dans les allées, basse la lumière des néons pour ne pas éblouir les cataractes, basses les calories pour un corps de rêve. Bas l'horizon. Les « non-vieux » sont parqués

---

1. 401K : nom du plan de retraites par capitalisation offert à un salarié. En général, plus de 50 % sont placés en Bourse, de façon plus ou moins prudente et en tout cas sur une très longue période. Des placements qui, dans l'ensemble, ont payé formidablement pour les retraités d'aujourd'hui.

à South Beach, réserve d'Indiens bodybuildés et crâneurs. Miroir aux alouettes d'une société engluée dans le déni.

Avec ses nombreuses et riches copines, Nancy a toute l'attention de son gouvernement. Elle vote Bush de père en fils, de cousin en cousin. Ce sont les maris puis les gendres qu'elle aurait adoré avoir.

Elle a des frissons dès qu'elle voit un drapeau américain. Ils pullulent depuis ce terrible 11 septembre 2001. « Unis nous sommes », pense-t-elle la main portée au cœur. Dans son pays, la jeunesse est transformée en chair à canon recrutée sur des parkings de supermarché.

En se rendant à son cours de yoga, Nancy passe devant une école. Le corps caché par des vêtements trop grands, les adolescents défilent sous un détecteur de métaux. Majoritairement illettrés, ils viennent avec d'autres armes.

Nancy sent bien que quelque chose cloche. « Quand même, de mon temps, se dit-elle, les jeunes, c'était autre chose. » Dans le monde de Nancy, tout est rose : la couleur du ciel, la façade des immeubles, la vie derrière ses lunettes de soleil. Elle soupire, pense à son prochain voyage sur le *Princess Cruise*. Et elle oublie que, peut-être, tout n'est pas rose. Un peu comme ses placements dans des fonds de pension aux exigences de rentabilité dantesques. Échapper à son corps, c'est échapper à sa réalité, à son temps et à son rôle. Mais là tout de suite, au volant de sa Bentley dorée, dans son monde maîtrisé, Mamie Rose s'en contrefout.

14. Printemps-été 2003

À Paris, je m'épuise sur des projets qui ne mènent nulle part. Je vais de rendez-vous sans suite en propositions foireuses. Je suis appelée pour des contrats urgentissimes soudainement bloqués par des *process* trop complexes. Cigare et costume Lanvin, regards suffisants sur un agenda surchargé. Amphet', gonflette, grosse Rolex. Les hommes d'affaires posent au Flora Danica pour des déjeuners qui durent des plombes. Ils s'écoutent parler puis changent d'avis. Personne n'a le pouvoir. Tout le monde le veut et le fuit en même temps. Je découvre le mauvais *gloubiboulga* des affaires. Ici, il faut respecter les règles, rester dans le chemin. Faire partie du cercle ou attendre que quelqu'un daigne tendre la main. Les mots « risque », « jeune », « différent » sont des blasphèmes. Paris est verrouillée par une noblesse repliée sur son petit trésor. L'« élite » ne veut rien transmettre. Je rejoins les **intermittents du business**.

Intermittents du business : cadre rompu à la gestion de sa précarité, roi de l'autoconviction. Sa vie professionnelle est une pièce de théâtre, ses contrats des performances. Il arrive auprès d'un client avec sa boîte à concepts, dit que tout est possible, fait trois petits tours sur lui-même, amuse et détend. Bien soulagé de ne pas en être, il reprend son baluchon jusqu'au prochain spectacle. Mirage du travailleur enfin libre, c'est le gisement d'une nouvelle pauvreté. Surdiplômée.

De passage à Paris, Nicolas dépose un cadeau d'anniversaire sur mon paillasson. Il ne sonne pas, trop facile. Pour mes trente ans, il m'offre une nappe afghane rose à fleurs. Au dos d'une publicité d'Afghana Airlines, il écrit : « Dans mon cœur, tu ne vieilliras jamais. Bonne route. »

Mon salut vient d'Angleterre. Dans un hôtel de luxe, je rencontre Susan, directrice d'une multinationale de l'alimentaire. Pour elle, je suis la « chasseuse de tendances » qui doit tout expliquer. Elle me dit :

— Je ne comprends pas : j'ai le plus gros budget marketing au monde, mes produits se cassent la figure. Les gens choisissent des marques locales. Est-ce parce qu'elles sont américaines ? Pouvez-vous m'aider ?

Pour lui répondre, je lui propose de sortir de ce lobby prétentieux. À Hyde Park, sur une chaise au soleil, elle me remercie : elle respire de l'air conditionné depuis des mois. Elle me demande de lui raconter mon histoire, avance la tête, plonge son regard noisette dans le mien. Son visage s'ouvre. En une heure, elle m'accorde sa confiance. Susan va devenir ma meilleure amie. Elle me confie une mission, me tend des billets d'avion et une loupe pour voir le monde. Paris est un aéroport.

À Moscou, dans la rue, les *businessmen* tirés à quatre épingles refusent les taxis officiels. Trop chers, trop dangereux. Ils font du stop, montent dans une Traban déglinguée conduite par un vétéran de l'Armée rouge, négocient leur parcours pour quelques roubles. Le système D court-circuite la corruption généralisée.

Au grand magasin Bum, L'Oréal, Danone et Unilever occupent les meilleurs emplacements. Des petits hommes trapus et sinistres avancent avec leur chasse gardée : quelques molosses et des filles immenses aux seins accrochés au plafond. En dehors de leur service, elles paradent en Versace le long de Kutuzovskii Prospekt, boivent de la Veuve Clicquot sous les oliviers de la terrasse chauffée du Ararat Park Hyatt. En bas de l'hôtel, le métro pue la vodka frelatée.

Rue Myasnitskaya, l'équipe de l'institut d'études nous reçoit, Susan et moi, comme des messies. Ces petits *strivers* russes me refilent la nostalgie de mes débuts new-yorkais. Je travaille enfin.

Natalia, notre interlocutrice, a vingt-trois ans. Elle vit dans un deux-pièces à la périphérie de Moscou. Chaque jour, elle passe trois heures dans les transports. Le soir, elle étudie à l'université. Belle comme un cœur, elle a déjà deux enfants, une fille de neuf ans. Dans ses plus beaux habits, elle m'interroge :

— Alors, vous avez combien d'enfants ?

— Je n'en ai pas.

— Ah bon ? (Elle est surprise.) Mais quel âge avez-vous ?

— Euh… trente ans.

— Ah ? Et d'où venez-vous ?

— Je suis française. Comme pour m'excuser, j'ajoute : Mais j'ai surtout habité à New York.

— Vous avez tellement de chance. J'étais sûre que vous veniez de New York.

Flattée, je l'interroge :

— Pourquoi dites-vous cela ?

— Vous me faites penser à cette fille de la série TV *Sex and the city*. Tout le monde regarde ça ici.

— C'est gentil !

— Oui, vous ressemblez à celle qui se croit si libre et qui, en attendant, fait n'importe quoi. Celle qui n'arrive pas à se défaire de son ex. Vous savez, Carrie Bradshow !

Épave new-yorkaise coulée par ses questions existentielles : me voilà bien habillée.

Derrière un miroir sans tain, j'assiste à une réunion de consommateurs. Homme ou femme, leurs joues sont mangées par la couperose, leurs réponses tranchantes. Le visage fermé, l'allure fatiguée, ils ne peuvent pas avoir moins de quarante ans comme me l'a juré Natalia. Elle me montre leur carte d'identité, Susan conclut :

— Qu'est-ce que je fais jeune !

Le poids des années a écrasé leur état civil. Pendant la réunion, encouragés par tant d'argent facile, ils ne parlent que de chaos et d'abandon. Comme de tout petits enfants, ils crient à l'usurpation. Ils pleurent l'absence du petit père des peuples. Ils n'appellent pas au secours, savent que personne ne viendra les aider. Une grosse femme employée de banque explose :

— Je veux que les Soviets reviennent ! Au moins, avec eux, il y avait quelqu'un pour s'occuper de nous. Des vrais médecins, des écoles, des terrains de jeux et des activités pour nos enfants. Et des scientifiques pour être fiers.

Les participants acquiescent, un peu gênés. Pour détendre l'atmosphère, Susan se lève, fait quelques pas de danse en fredonnant un air de salsa.

Leur pays a été désossé par des privatisations rapaces. La population n'a pas vu la couleur du développement économique. Elle l'a lu sur les affiches de publicité. Les investissements de la Banque Mondiale ont rempli les poches des apparatchiks. Ils ont rénové l'aéroport, ouvert des centres commerciaux de luxe pour leurs femmes. Les investissements se sont arrêtés à la banlieue de Moscou. Les caméras et les consultants de la communauté internationale ne s'aventurent pas au-delà. La Russie est un **no man's land**. « Nous récoltons les semences d'une ère sans foi », dit l'un des participants. L'âme russe, dernière source de fierté, s'est vendue pour quelques poignées de dollars. La sentence tombe. « *Perestroïka fucked us.* » Le terreau fasciste est en place.

No man's land russe : depuis 1998, le PIB a progressé de 6,8 % annuellement, l'espérance de vie des hommes s'est effondrée de près de trois ans.

À l'institut d'études, de l'autre côté du miroir, un ange passe au-dessus du plateau de petits-fours Maxim's. Natalia me fixe, l'air de dire : « Toi et tes fausses Prada, vous avez compris maintenant ? » Susan ne danse plus.

Susan m'envoie en Corée pour le même exercice. Écouter, derrière une vitre sans tain, des anonymes raconter leur pays. Prendre le pouls de cette « historique classe moyenne mondiale ». Comprendre, au-delà de son marketing, les effets de l'économie de marché. Payée pour poser un regard de clinicienne, je doute un peu plus.

La nuit, je cours sur les tapis du club de gym, regarde la ville en écoutant Beth Gibbons, *It's just a show*. Séoul est tiraillée entre nostalgie confucéenne et modernisme contrarié. L'Histoire a tranché, le capitalisme fait un aller-retour.

Dans ma chambre, je choisis « l'atmosphère tamisée » sur la télécommande d'ambiance. Bien calée par les six oreillers du lit extra-large, je zappe sur la télé de l'hôtel, en peignoir et charentaises. Je tombe sur le film *The Hours*. Trois destins de femmes qui bataillent avec leur exigence de liberté : l'épouse qui s'ennuie à crever, empêtrée dans sa culpabilité ; Virginia Woolf emprisonnée dans sa schizophrénie ; Meryl Streep qui gâche sa vie pour un amour de jeunesse. « Tu ne trouveras pas la paix en évitant la vie. Aime-la pour ce qu'elle est et ensuite, débarrasse-t-en[1] », conclut Virginia Woolf en s'enfonçant dans l'eau une dernière fois.

---

1. « You can not find peace in avoiding life. Love it for what it is and then put it away. »

Bouleversée, je descends au bar. La chanteuse rousse en robe noire pleure pour de faux sur *My Funny Valentine*. Les hommes d'affaires noient leur journée dans un scotch. Une Coréenne entre en roulant des fesses, son corps d'enfant dans une minijupe. Elle s'assoit au bar, sort une cigarette. Un homme d'une cinquantaine d'années se lève pour lui offrir du feu. Cinq minutes plus tard, il passe sa main dans son dos frêle. Son alliance brille sur la peau blanche et nue. Ils s'éloignent vers une table. Elle s'assoit sur ses genoux, remue lentement son bassin. L'homme laisse partir sa tête en arrière. Dépités, les autres commandent un autre scotch.

Cachée derrière les orchidées, Susan tue la nuit. Elle a la tendresse d'une maman, la fougue d'une adolescente, l'humi- lité d'une femme qui a déjà vécu. Elle a fait cent fois le tour du monde. J'ai besoin de parler. C'est elle qui m'ouvre les yeux. Loin de tout, la vie en suspens, nous confessons nos chagrins éternels. Ils sont universels.

À 4 heures du matin, nous allons au supermarché acheter un faux champagne à 2 dollars. Nous descendons sur la pointe des pieds vers la piscine de l'hôtel. Le monde dort comme un bébé. Il est à nos pieds. Nous rions de ce mauvais champagne et des bulles du jacuzzi qui explosent bruyamment. Nous sin- geons les *capitalist pigs*.

Je montre à Susan la bague que Marco m'a offerte à Miami mais ne lui parle que de Nicolas : notre cache-cache autour du monde, l'admiration réciproque, les mauvais jeux d'in- fluence, ma difficulté à vivre simplement.

— À force de ne pas faire de choix, dit-elle, tu mènes une vie rabougrie. N'oublie jamais cette phrase de John Lennon : « La vie est cette chose qui t'arrive alors que tu réfléchis à d'autres projets[1]. »

---

1. « Life is that thing that is happening to you while you are making other plans. »

Nous sommes deux femmes à Séoul qui ne trouvons pas le sommeil. Deux femmes de chaque côté de la colline de la maternité, le versant « peut-être » ou le versant « trop tard ». Deux femmes terrassées par une seule question : vaut-il mieux souffrir ou s'ennuyer ?

Dans la journée, à l'institut d'études, nous écoutons les Coréens raconter leur vie. Argent, ascension sociale, explosion des traditions, tu-auras-une-meilleure-vie-que-tes-parents. Très bonne élève du capitalisme, la population vivait à crédit. Faillite nationale. L'arrivée de l'économie de marché a creusé le fossé des générations : d'un côté, les vieux qui ne comprennent rien ; de l'autre, les jeunes qui veulent vivre comme dans les émissions crachées par le câble satellite. Clash de valeurs, le « pays de l'harmonie » vacille. Travailler est leur échappatoire. Immigrer en Amérique, leur unique espoir.

L'installation à la frontière de missiles nord-coréens pointés vers Séoul n'inquiète personne. Monsieur Jung, président de Hyundai, s'est suicidé. Il est tombé pour corruption. Mort de honte, c'est le drame de l'année, « un meurtre social ». Son suicide a fait des émules. **Techno-fétichistes**, les participants à la réunion de groupe disent que leurs copains organisent leur propre mort par SMS. Ils fantasment leur mort comme un dernier rêve dans la vie.

Techno-fétichistes : à défaut d'émotion nous avons besoin de technologie pour valider nos expériences. On n'engueule plus son chien. On passe ses nerfs sur son *BlackBerry*.

J'arrive à Mexico, autre terrain de jeu du « miracle économique » dicté par le FMI. Susan ne vient pas. L'air est saturé de saloperies en tout genre, la ville grise et démesurée dans le soleil couchant. Les panneaux d'affichage se disputent le ciel. Message subliminal : « *Bacardi : el orgulloso de ser original*[1]. » C'est toute ma vanité.

Je vole en *business class* ; je suis encore plus seule. Je dors dans des hôtels de luxe ; il ne se passe rien. Je découvre le monde ; il pleure. Dans une capitale inconnue, je m'invente un autre destin ; il est impossible. J'abats du kilomètre en me racontant que j'avance. Je voyage dans l'espace, jamais dans le temps. Prendre un avion, louper la dernière porte dans une course de snowboard, quitter un homme, c'est un peu pareil : recommencer, rester intouchable. Ne jamais grandir, surfer la vie. Nicolas me manque. Je sais qu'il comprend : sur cette trajectoire trompe-l'ennui, trompe-la-mort, il court plus vite que moi. Nous partageons la même angoisse : celle d'être normal.

Quartier d'affaires flambant neuf de Santa Fé. Le chauffeur de taxi m'explique qu'il a poussé comme un champignon haineux sur de la mauvaise terre : le plus grand bidonville d'Amérique centrale. Il en reste quelques vestiges. À côté des immeubles futuristes gardés par des hommes-mitraillettes, des habitants en haillons s'accrochent à leurs baraquements

---

1. « Bacardi : la fierté d'être original. »

de paille. Au-dessus d'eux, une énorme affiche Van Dutch brille de mille feux.

À l'institut d'études, les participants sont des clones de Britney Spears et de Justin Timberlake. Ken et Barbie, au détail près : ils se sont fait blanchir la peau. En permanence, ils se regardent dans le miroir sans tain, réajustent leur coiffure, remettent du rouge à lèvres. En évoquant leur pays, ils hésitent entre affranchissement et culpabilité. La semaine, ils sortent dans des ersatz de *clubs* new-yorkais. À l'image de leurs rêves, leurs nuits se standardisent. Elles comblent le vide. Ici le jour des morts est une fête. Boire et danser font oublier la tristesse de destin sans issue. La fuite dans la consommation signe leur relation à la puissance. Les marques apaisent leur humiliation, au fond, de ne pas être libres. Oxygène de ces vies étouffées, elles donnent une place dans une société qui n'en est plus une. Petits ambassadeurs de l'Amérique, ils portent des tee-shirts aux messages définitifs : « *I'm a sex Bomb.* » Être un jour **reconnu** est tout ce qui compte.

Usine de l'Amérique, jusqu'à ce qu'elle trouve mieux ailleurs, ouvrier du grand capital jusqu'au réveil de la Chine, le Mexique veut travailler. Il n'a plus rien à faire. « La peur est la seule chose qui a été démocratisée[1]. » Le kidnapping est devenu, avec

About to be discovered syndrome : conviction que l'on peut être repéré par un agent, un photographe, un producteur et autre *talent scout* à tout moment. Culture de la pose (et non plus seulement du paraître), les petites filles au régime à cinq ans. 31 % des adolescents américains pensent qu'ils vont devenir célèbres.

---

1. Octavio Paz, *Le Labyrinthe de la solitude*, juin 1985.

l'aide des médias, la voie d'enrichissement la plus efficace. Devant la drogue. « Ici, tu ne gagnes plus rien à être honnête », dit un participant. Les *chilangos*[1] sont des survivants.

Dans l'avion du retour, je me demande si les Russes, les Coréens et les Mexicains sont en retard ou en avance sur nous.

---

1. Habitants de Mexico City.

15. Automne 2003

De retour à Paris, je décroche une mission dans une société de production TV. Les employés, payés en tickets-restaurants, explosent le quota de trente-cinq heures en deux jours. On leur a raconté que, peut-être, ils pourraient devenir l'animateur de demain. Dans son bureau, à côté de ses Sept d'Or, le patron déprime :

— Je ne peux pas continuer à produire des programmes aussi cons.

— Il faut reconnaître que cela fonctionne bien.

— Ouais, ça *crache*! Mais vous savez, j'ai des enfants. Je suis quand même un peu responsable de ce qui se passe. Il y a forcément une autre option, non? Des programmes intelligents, bien foutus, avec des vraies valeurs.

Quelques semaines plus tard, je reviens avec des cassettes d'émissions repérées sur BBC, Channel 4, HBO. Dans ses converses orange, la chargée de production brûlée aux UV se lève et dit :

— Tu ne comprends pas chérie, ce qu'il faut, c'est de la *zoub*. Tu crois qu'on donne quoi aux cochons, hein?

— Mais je croyais…

— Y a pas de marché pour ton truc. Ce qui marche aujourd'hui, c'est les émissions de classements, de gags, des suites, du **remix**. Aucun patron de chaîne ne prendra le risque de sortir du créneau. Surtout pas en *priiiiime*. Tu débarques d'où ?

— …

— Vu ce que les gens se tapent au 20 heures, après il ne faut surtout pas en rajouter. Pourquoi tu crois que les présentatrices des JT sont de plus en plus jeunes et jolies ?

— Ben…

— Pour faire passer la valda d'un monde qui s'en va, pardi !

— Quoi ?

— Ben oui, chaque soir ces prompteurs aux yeux clairs assènent qu'il faut que nous ayons peur, que jamais nous ne soyons rassurés. Que dehors les gens se détestent et se tuent. Qu'il faut rester chez soi, bien **cocoon**, assis devant la TV et le plateau-repas.

— Elles parlent des autres comme d'une indéboulonnable tragédie.

— Oui ! Et après les gens sont prêts à avaler n'importe quoi, tant que c'est liquide. Tu peux balancer tranquille trois heures de programme d'un monde merveilleux pour les rassurer !

À la télé, tout le monde est *coooool*, sincère, généreux, FOR-MI-DA-BLE. Les projecteurs s'éteignent, la caméra s'arrête, l'animateur débranche son oreillette, et ils se détestent tous. Faire fantasmer les parents sur le succès de leur progéniture : sport favori et très rentable d'une élite parisienne médiatico-intellectuelle aux manettes de la fabrique à Sarko. Caïds du PAF, vendeurs de Coca. Éduquée, au pouvoir mais pas courageuse du tout, d'un cynisme effrayant, elle « crée » portes verrouillées à double tour. Un seul objectif : surtout, rien ne doit changer.

Marco fait de son mieux pour me tenir la main à distance. Notre histoire d'amour végète sous assistance respiratoire. À New York, il se bat toujours pour la survie de son entreprise, son chèque, peut-être à la fin, s'il la revend. À Miami, j'avais dit oui à sa bague sans savoir que l'on pouvait dire non. Comme beaucoup de femmes. Des sourires contraints, une date hypothétique, la fuite encore plus vite, mais-si-bien-sûr-on-va-le-faire-mais-pas-tout-de-suite. Il aura fallu quatre années à Marco pour me demander en mariage ; neuf mois pour que je change d'avis. Quarante-cinq secondes pour nous quitter.

Nicolas me manque, je ne lui parle plus. J'ai tout misé sur le rouge, refuse de lancer la roulette.

Je rencontre un **quadra sublime et inconsolable**. Confidence sur l'oreiller, les coups bas du CAC 40, je découvre un éléphant sur la brèche. Le dimanche, il me suit en vélo pendant mon jogging.

Quadra sublime et inconsolable : cadre sup de sup, gros salaire, belle gueule aimant le foot et les belles femmes, surtout plus jeunes que lui. Il ne travaille plus que pour s'acquitter de sa pension alimentaire. Il fait partie des recalés de l'amour qui grossissent les rangs des grandes entreprises, faute de trouver meilleure occupation. La pression du fisc (puisqu'il gagne beaucoup) et de son ex-femme (pour la même raison) aux fesses ne lui laisse pas le choix. C'est ça aussi, l'entreprise : la boîte noire de nos souffrances domestiques.

Dans le bain, nous lisons *Le Journal du dimanche*. Sur la platine laser, il met les Rolling Stones, *Start Me Up*, danse dans sa cuisine en préparant un thé. Pendant un temps j'ai ma place. Puis un jour, il ne sait plus. Il remet du Norah Jones, se raconte que sa vie est finie. Accablé par sa culpabilité, il fantasme sur sa retraite, son unique porte de sortie. Il redoute de s'effondrer, confesse : « L'éternité, c'est ce temps qui existe entre le moment où tu la baises et celui où tu la ramènes chez elle. » C'est du Desproges. Un soir, il veut me présenter sa famille. J'ai peur de me retrouver maman. Je m'enfuis lâchement.

Je me mets à **courir** plus vite que mon angoisse. À coups d'endomorphine, je lui explose la figure. J'écoute Eminem, *What is life? Life is a fucking obstacle*[1]. Mes foulées sont rageuses. Les marathons sont pris d'assaut par des Narcisses au chômage. Biberonnés au culte de la performance depuis l'enfance, les cadres sup satellisés cherchent une place.

Run Forrest Run : sport des gens qui souffrent de ne rien avoir à faire. Moyen de se prouver, en plein doute, que l'on tient le coup. Outil de gestion du temps, quand on en a trop.

1. « Qu'est-ce que la vie ? La vie est un putain d'obstacle. »

16. Hiver 2004

Quinze mois sans parler à Nicolas. Un après-midi d'ennui, l'envie d'entendre sa voix sur son répondeur devient irrésistible. Ça sonne. Je raccroche. Ce numéro fonctionne dix jours par an, quand Nicolas est de passage à Paris. C'est un signe. Je rappelle. J'aurais mieux fait d'aller courir.

Il est en rendez-vous à la Commission européenne. Une histoire de gros sous pour sauver l'Afghanistan. Il décroche d'un ton assuré. Puis cinq secondes de silence lorsqu'il comprend que c'est moi. Entouré d'énarques jamais sortis de la navette Air France Paris-Strasbourg, il a la voix d'un petit chat :

— C'est bien toi ? Je n'en reviens pas.

— Oui, bonjour.

— Tu me fais un super-cadeau, confesse-t-il. Que fais-tu ? Où vis-tu ? Mon Dieu, c'est Noël ! Merci, merci, merci. Je suis tellement désolé pour la dernière fois. J'ai agi comme un morveux. On se voit ?

— Non. Je t'appelle juste pour que l'on sorte de cette période de silence débile.

— Allez, s'il te plaît, juste cinq minutes, insiste-t-il.

— Non. Cela me fait plaisir de t'entendre mais je ne veux pas te voir. Je voulais juste te dire que c'est génial ce que tu fais en Afghanistan.

— Je m'en fous pas mal. Tu me manques, s'il te plaît, tu ent…

Je raccroche. Je suis cuite. C'est juste une question de temps.

Je ne prends pas ses appels. Il m'envoie un disque. Bien plus efficace. Bang Gang, *Something Wrong*, et un petit mot : « Mon seul regret est de ne jamais avoir su te rendre heureuse. Ici c'est incroyable. Il faut que tu viennes voir. Je vais bien. Tu es partout. »

Une chanson, un souvenir. Une odeur, il est là. Un souffle, je bascule. Je traîne Nicolas avec moi depuis trop longtemps. Il entre à nouveau dans ma vie, écrit, appelle. Il me parle de son pays merveilleux, l'Afghanistan. De lui, l'homme aux mille promesses.

Vingt-trois heures, un dimanche de mars. Le téléphone sonne :

— Salut, c'est Sébastien. Tu te souviens de moi ?

— Euh oui. Comment ça va ?

À HEC, j'avais repéré son regard inquiet sur ce microcosme vain. Sa franchise rageuse et sa lucidité d'écorché bouillonnaient dans son corps ramassé. Il parlait comme un charretier savoyard, skiait comme un dieu. Né dans une famille d'industriels puissants, abonné au meilleur, il avait tout pour plaire ; il cherchait l'essentiel. Dans ses fringues rapiécées, il faisait dix ou quinze ans de plus, comme s'il avait déjà tout vu. Cela m'avait intrigué. J'avais dû lui confier.

— Écoute, je ne peux pas vraiment t'expliquer là, dit-il, je suis dans le train.

Nous avions dû parler quelques fois de glisse, de liberté, de psychanalyse, de parents qui écrasent. Rien de plus.

— Que deviens-tu ? Ça fait tellement longtemps !

— En fait… je suis désolé de te demander cela. Est-ce que je peux venir dormir chez toi ce soir ? Juste une nuit.

Il est marié, père, riche, entouré d'amis, peut se payer tous les palaces de Paris en résidence. Sans comprendre, je réponds :

— Mais c'est tout petit chez moi. Je n'ai qu'un canapé à te proposer !

— Je t'en supplie, implore-t-il. Tout m'ira.

— Bon, tu n'as pas l'air bien là…

— Merci. C'est quoi ton adresse?

Il débarque à 1 heure du matin en traînant son énorme housse de VTT. À la place de son vélo, il a mis tout ce qu'il a pu prendre de chez lui. Il est sale et mal en point, sec comme un sandwich SNCF.

— Je te revaudrai ça. À demain!

Il fonce vers le canapé, enlève ses chaussures, déplie le drap, s'endort tout habillé. Il ne pouvait pas tenir une seconde de plus. Je n'ai pas eu le temps de fermer la porte.

Au réveil, il m'apporte un thé au lit. Il porte un vieux pull rouge en mohair mité au col et troué au coude. Son jean est un peu sale. Il ressemble à un petit garçon en week-end à la campagne :

— Merci de m'avoir ouvert ta porte hier soir.

— Comment ça va? dis-je pour cacher ma gêne.

Il évite de répondre :

— Dis, je peux rester quelques jours ici. Le temps de décider de la suite. Je n'ai pas trop envie de m'expliquer mais ça me rendrait service.

Je me lève. Ses habits sont parfaitement rangés. Sur la table, il a laissé traîner une boîte de pilules bourrée à craquer. Je fais comme si je n'avais rien vu. Sébastien s'installe.

Homme d'affaires brillant, il est désœuvré. Il me suit comme mon ombre à mes rendez-vous de travail sans parler, m'attend au café du coin avec *The Economist*. Quand il décline trop derrière son Perrier, il avale une pilule ou deux. Il se redresse, un éclair de vitalité le traverse. Puis il disparaît à l'intérieur de lui-même.

Allongé sur le canapé, il me regarde travailler. Il prend une autre pilule, met *Spread* de Outkast à bloc, saute dans tous les sens avec des yeux remplis de vie. Puis il retourne s'allonger et s'endort, la musique à plein tube.

Sébastien a forcé ma porte, déballe son chagrin, m'assure que cela ne doit rien changer à ma vie. Je ne sais que faire : le bousculer, prévenir ses parents, lui caresser la tête quand il dort ou pleure en plein après-midi ? L'aider, l'aimer, le comprendre ou me protéger ? Il reste plusieurs jours, mon impuissance grandit.

Nicolas me conseille de Kaboul : « C'est génial ce que tu fais pour lui. Mais quand même, fais attention. Tu ne peux pas rester comme ça. Il faut qu'il s'en aille. »

— C'est terrible pour moi, dis-je à Sébastien un soir, de te sentir si malheureux et de ne pas savoir comment t'aider. Je ne comprends pas ce que tu attends de moi.

— Juste que cela reste comme ça.

— Ce n'est pas possible. Tu pleures, tu dors, tu souffres et tu ne me dis rien.

— Je n'ai pas envie de t'emmerder avec mes histoires.

— Mais c'est trop tard ! Quel rôle j'ai là-dedans ?

— Aucun. J'avais envie d'être avec toi parce que tu ne connais pas ma famille. Parce que tu vis seule.

— Ah ouais, parce que c'est pratique !

— Non. Tu fais les choses différemment. Tu ne me jugeras pas. Et au moins, tu n'essaies pas de **revivre ton enfance** au travers de celle de tes enfants.

Œdipe en vrac : les parents s'habillent comme leurs enfants, regardent les mêmes émissions, s'enflamment pour les mêmes idoles. Et les enfants coachent leurs parents sur leurs choix d'adulte.

— Qu'est-ce que c'est que cette histoire ?

— S'il te plaît, je vais trop mal.

— Écoute, soit tu me dis ce qui se passe, soit tu…

Il s'allonge, fixe le plafond blanc, se livre. On lui a tout donné. Il a tout réussi, n'a jamais su qui il était.

— J'ai vu tous les psys de Paris dès l'âge de cinq ans. Allez hop, une petite séance et ça ira mieux ! Ça rassurait mes parents. Résultats des courses : mon corps est une décharge pour laboratoire pharmaceutique. J'ai la tête et le cœur d'un vieillard. Je n'ai pas trente ans.

— Allez, ça va passer, dis-je pour temporiser. Tu traverses une mauvaise passe, c'est tout.

— J'ai arrêté d'y croire. Je me suis donné un an.

— Un an pour quoi ?

— Dans un an, si je ne vais pas mieux, je me fous en l'air.

J'esquive :

— Bah, arrête tes conneries ! Tu percutes à la vitesse de la lumière, tu réussis tout, tu peux faire des milliards de choses, tu adores la montagne, le surf, la bouffe, le cinéma… T'es beau, entouré de gens qui t'aiment… Comment quelqu'un comme toi pourrait…

— Je suis une plaie pour les autres. Je me suis réinventé cent fois, je ne me trouve jamais. Je cours, je fais, je tente. Je ne me réalise en rien. Toi, t'es pareille.

— Quoi ? Ça va pas, non ? Je n'ai jamais eu envie de me foutre en l'air !

— Tu n'as pas encore été au bout de la logique c'est tout, répond-il du tac au tac. Tu vas faire quoi de ta petite vie ? Attendre que cela passe ?

— Partir en Afghanistan. Rejoindre Nicolas, je réponds, désemparée.

Il s'énerve :

— Tu parles d'un suicide ! Tu vas fuir encore. Je suis désolé de te dire ça mais tu le sais déjà. Ce type est un usurpateur. Il a

136

dragué une amie de mes parents en plein monastère bouddhiste à Shigatse. Elle a soixante-cinq balais. Il n'a rien à donner, tout à te voler. Il a faim. Plus besoin de toi que toi de lui.

— Comme toi avec tes saloperies de pilules.

Le lendemain, il me réveille avec un plateau de kiwis, reprend son sac et disparaît. Au dos d'une facture, il a écrit : « Merci, bonne chance. Prends soin de toi. »

17. Printemps 2004

De Kaboul, Nicolas écrit : « Laisse-moi te voir, nous voir. Donne-nous une chance de nous retrouver. » Je me convaincs : une vie sur un siège éjectable c'est mieux qu'une vie sans rien du tout. Je rejoins Nicolas au bord de la mer Rouge, à mi-chemin entre Kaboul et Paris. En terrain neutre.

À l'aéroport, il dévalise le kiosque à journaux. À Ras Sur, dans la petite station balnéaire d'inspiration soviétique désertée, il se jette sur les plats et la bière, ouvre ses grands yeux. On dirait un bagnard en perm'. Il a tellement grossi qu'il déchire sa combinaison de plongée. Ses bourrelets l'humanisent. Sur la plage, en petit short de surfeuse, je croise des femmes recouvertes de la tête au pied d'un voile noir. Leurs maris serrent leurs petites mains un peu plus fort. Ils reluquent les Occidentales avec dégoût et envie.

En fin de journée nous partons en planche à voile. Nous voulons rattraper le soleil qui se noie dans la mer. Après une mauvaise manœuvre, je me retrouve à l'eau. Le vent tombe d'un coup, ma voile ne me permet plus de repartir. Je pense à tout ce qui vit en dessous. Sur le lac d'Annecy, j'ai déjà peur. Je n'arrive pas à remonter sur ma planche, panique. Nicolas, toujours sur son flotteur, navigue autour de moi pour me calmer. Un dauphin me frôle. Je deviens hystérique :

— Je vais me faire bouffer par un requin. Je te jure! Ça devait arriver : c'était ça ou mourir dans un ascenseur du World Trade Center!

Le Prince charmant n'arrive plus sur son cheval blanc. Il se jette à l'eau :

— Ben, maintenant, le requin, il a le choix! rigole Nicolas. Allez, je tiens ta planche : essaye encore!

Je remonte, hisse enfin cette foutue voile en tremblant un peu, mets le cap vers la plage. Nicolas me suit :

— Eh! Tu as déjà croisé un requin dans un ascenseur du World Trade Center?

Un peu plus tard, le club de la plage se transforme en *lounge*. Les véliplanchistes racontent leurs exploits de la journée. Nicolas commande des bières. Sur *Californication* des Red Hot Chili Peppers, il dit :

— Bon alors, pour le mariage, comment on fait?

— Tu parles de quoi?

— Du nôtre.

— Quelle blague! Toi, te marier? Avec moi! Il faudrait déjà que j'aie confiance en toi.

— J'ai changé. C'est derrière moi, toutes ces sales histoires de minettes sans lendemain. C'est vrai, j'en ai bien profité. Mais quelle tristesse finalement. J'ai envie d'autre chose.

— Ah oui? Et comment tu vas faire pour que je te croie cette fois?

— J'ai envie de donner et de transmettre.

— Ne te fatigue pas, va. Je n'irai jamais m'installer dans ton pays de malheur.

Dans l'impasse, nous avalons nos bières.

Au dîner, Nicolas reprend :

— J'ai bien réfléchi. Il ne faut pas que je reste trop longtemps à Kaboul. Je vais rentrer. Ce n'est pas la vraie vie là-bas. La vraie vie, c'est avec toi.

— Ce n'est pas ce que tu disais…

— Arrête ! J'ai compris un tas de choses. Il faudrait que tu viennes voir, ne serait-ce que pour comprendre ce que j'ai vécu. J'ai tellement de choses à te montrer. C'est important.

Il bute sur ses ambivalences. J'ai envie d'en savoir plus :

— Mouais. Je ne vois pas du tout ce que je pourrais faire là-bas. La *burkha*, tu sais, ce n'est pas trop mon truc.

— Il n'y a pas que la *burkha* dans la vie. À Kaboul, il y a tout à faire. Tu aurais une vraie occasion de te rendre utile. Toi qui n'arrêtes pas de dire que tu en as ras-le-bol d'enrichir l'actionnaire… Et si je te trouve un travail, tu viendrais ?

— Ben…

— Ne cherche pas. Je vais arranger cela. Après, on ira s'installer à Marseille. C'est bien, Marseille, non ?

Au Caire, Nicolas repart rouge comme un homard. Sa peau n'aime pas le soleil. C'est la limite corporelle à sa panoplie de *mec cool*.

Mon avion décolle huit heures plus tard, j'ai le temps d'aller voir la ville. Je monte dans une 505 Peugeot :

— *Me engineer*, m'explique le chauffeur. *Terrorism, no more tourist, no more work. You american ?*

— No.

— German ?

Pour une fois, c'est mieux.

Je paie 50 euros pour apercevoir la silhouette des Pyramides. Le spectacle son et lumières est en version chinoise.

À son retour à Kaboul, Nicolas me trouve une mission :

— Viens ! Tu vas avoir un impact incroyable : recruter et gérer les consultants de la Banque de la Faim. Tu sais, ceux qui sont appelés du monde entier pour reconstruire le pays.

Les *grandes instances internationales* sont traumatisées par la perspective d'un monde qui s'embourbe. Dotée d'un budget record, la reconstruction de l'Afghanistan doit devenir un cas d'école, un modèle de « bonne gestion » et d'efficacité.

— Ça va être génial ! Achète-toi quelques foulards, des chemises bien amples et monte dans le prochain avion. Au fait, passe par Dubaï. C'est bien moins glauque que Bakou. Et en plus l'alcool ne coûte rien.

L'aventure redémarre enfin. Il continue tout excité :

— Ah, j'oubliais ! Avant de partir, fais un tour au supermarché, ça remonte le moral des troupes ! Ramène tout ce que tu peux : chocolat, saucissons, fromage Kiri. Et surtout, surtout, du gel douche Ushuaïa à la fraise.

Avant mon départ, de New York, Marco m'appelle : « Cela ne me regarde plus mais quand même : tu fais la connerie de ta vie en rejoignant ce type. » Susan me rassure : « Ma chérie, va au bout de ton histoire. »

L'aéroport de Dubaï est un centre commercial ouvert vingt-quatre heures sur vingt-quatre. Des pétasses en Dolce &

Gabbana croisent des femmes transformées en Dark Vador. Yeux, nez, bouche, un grillage de fer enserre leurs visages. Comme une muselière sur un chien méchant.

Au petit matin, les passagers en transit pour Kaboul se regroupent dans la salle d'embarquement. À droite, les Afghans s'assoient en rond à même le sol. À gauche, quelques Occidentaux alignés sur des fauteuils en skaï sont plongés dans leur lecture. Ils pourraient partir pour Boston.

Dans ce sas entre deux mondes, nous sommes quatre femmes : une employée d'ONG autrichienne poilue en chaussures Jésus ; une jeune fille et sa mère qui ne tient pas en place. En m'expliquant comment porter le foulard, elle me raconte son histoire. Petite fille à l'arrivée des chars russes, ses parents l'ont confiée à des amis qui fuyaient en Amérique. Elle a grandi à San Diego, est devenue professeur de faculté. À la chute des Talibans, elle a reçu des nouvelles de son père, unique survivant. Elle vient combler vingt-cinq ans de trou noir.

De l'avion donné par l'Aéroflot, le pays ressemble à un immense drap couleur terre froissé de mille plis. Il est taillé net par des pics à six mille. Là où l'air se fait rare, l'esprit fou, la pensée libre. Bleu, blanc, sable. Du ciel, pas un nuage, pas une route, pas une trace de présence humaine. *Big Brother* ne peut rien contre ce désert de vallées insondables et l'endurance d'un diable.

À l'aéroport de Kaboul, des carcasses d'avions carbonisés jonchent les champs qui bordent la piste. À côté, des petits drapeaux rouges flottent au vent. C'est presque joli. Mon voisin, *gentleman farmer* et *pataugas*, lâche agacé :

— Les drapeaux, c'est pour les mines qu'il reste à désamorcer.

Sur le tarmac, il fait une chaleur de bête. Je m'attarde. Fifth Avenue me paraît toute proche. C'est le même ciel, la plongée dans l'inconnu au pays des barbus. La suite de l'histoire.

La femme de San Diego fond sur un vieillard tremblant, son père. Il a mis sa plus belle tunique, un peu d'eau de Cologne sur son corps émacié. Ils pleurent en silence. Dans ses Nike roses à paillettes, sa petite fille donne à manger à son Tamagotchi.

Dans le hall de l'aéroport des hommes en *chamal kamis*[1] jauni par la sueur s'excitent sur leur téléphone portable. Leurs yeux clairs éclatent sur une peau burinée. La mâchoire serrée, ils gobent tout ce qui entre. Samsung a transformé l'aéroport en *showroom.*

La crinière rousse de Nicolas dépasse d'une tête. Dans sa chemise en coton recyclable Patagonia, il est triomphant. Depuis le début, c'est à celui qui se crée la vie la plus hors

---

1. Habit traditionnel : un pantalon bouffant, une tunique longue, un gilet sans manche.

norme. J'avais marqué des points à New York. À Kaboul, il a gagné. J'approche pour l'embrasser en murmurant :

— Il fut long, le chemin…

— Plus tard, souffle-t-il en m'esquivant.

Son chauffeur attend à côté d'un Toyota Land Cruiser aux vitres teintées. Il porte un pantalon Docker, une chemise ouverte sur une chaîne en argent. Il charge ma valise, monte dans le 4 × 4 briqué de près sous le regard mauvais de ses compatriotes. Son job lui rapporte 200 dollars par mois, cent fois plus qu'un médecin ou un ingénieur.

Nous roulons dans la ville aux deux cent mille morts. Un char croise à pleine vitesse au carrefour. Nous faisons un détour par la « colline à l'antenne TV ». Personne ne se souvient de son vrai nom. Au sommet, des lits sont ouverts au ciel. Il n'en reste que l'armature et des ressorts éventrés. De là, les gardes municipaux surveillent leur ville. Les hélicos yankees traversent le ciel d'un vol lourd et lent. Leurs pales coupent un air dense. Le vent souffle, plusieurs millimètres de crasse s'agglutinent déjà sur mon visage.

Nicolas me fait grimper sur le plongeoir d'une piscine municipale criblée de balles et d'éclats d'obus. Souvenir d'un temps heureux.

— Dans les années 60, raconte-t-il, Kaboul était une destination mythique pour routards. Ils faisaient étape sur la route de Katmandou. Les femmes portaient des minijupes comme à Paris.

De ce plongeoir, Kaboul est à même la terre. Je sens qu'elle a été grande, belle. Peu d'immeubles tiennent debout. Il reste quelques poussées vertes : des parcs où tout se passe, quand on est un homme. Le bitume est jaloux. Il reprend :

— Par rapport à mon arrivée, en 2002, la situation s'est carrément améliorée. Et, bien sûr, les travaux ne sont pas finis. Là, tu vois, ils construisent le premier Business Center, deux tours identiques. Ils vont les appeler « World Trade Center ». Et puis là, il va y avoir…

— Ne t'inquiète pas. J'adore ça.

Le 11 Septembre m'a catapultée très loin de New York. À force de pourquoi, je suis devenue la fille de l'air. Jamais là ni vraiment loin, à l'aise uniquement en vol. Nicolas est la cible mouvante de cette vie tout en recommencements. L'unique point fixe. Depuis des années, je me raconte que je l'aime. Il vit à Kaboul, origine de ce nouveau monde. Assise sur la poudrière, à côté de cet homme qui fuit toujours plus loin, tout concorde. Je veux entrer dans son univers, connaître l'apocalypse. Renaître. Boucler la boucle de ce Manhattan Kaboul.

Nicolas me serre fort la main.

18. Été 2004

Kaboul sort de guerre. Pour y vivre, les expatriés se regroupent dans des *compounds*. Ils s'octroient un pâté de maisons miraculées, suppriment les enceintes communes, réinventent l'espace. À l'entrée, ils posent des barbelés, embauchent des hommes en armes. Ils appellent cela leur « maison ».

Celle de Nicolas est proche du quartier Afghanaan. Le premier café Internet s'est installé juste en face, la « maison Kodak » au coin de la rue, c'est le quartier qui bouge. Des villas poussent de terre de façon anarchique. Aucun plan des sols, celui qui a la kalachnikov la plus puissante, la famille la plus influente, se sert. Seigneurs de guerre achetés par la CIA et trafiquants de drogue exhibent leurs richesses : balcons dorés, colonnes romaines et marbre de Carrare.

Au-delà des murs, les déchets sont renversés à même la rue. Une mixture douteuse stagne dans le ruisseau qui sert de caniveau. Kaboul pue.

Nicolas toque à une porte en fer, un homme passe son visage par un parloir, ouvre. Arme en bandoulière, il porte sa main à plat sur son torse, ferme doucement les yeux, incline la tête, se plie comme s'il saluait un prince.

Trois maisons entourent un jardin de magazines. L'herbe semble douce, les fleurs viennent du monde entier.

Nicolas m'explique :

— Ça, c'est la maison 1 : pour travailler ; là, la maison 2 pour manger, faire la lessive, se laver ; au fond, la maison 3 : pour dormir.

Ordinateur portable sur les genoux, çà et là, de jeunes gens travaillent en treillis. Indiens importés de Yale, Américains réchappés des *Peace Corps*, Italiens fleurant bon l'eau de toilette, Français sûrs de tout... Diplômés des meilleures écoles de la planète, ils cherchaient la nouvelle Bulle. Bons petits du capitalisme, ils ont appris que relancer un pays, c'est créer des marchés. Enrichir la population. Surtout s'enrichir soi. Ils ont foncé vers Kaboul, le dernier Far West. Ils inventent le **Business 3.0**.

Business 3.0 : l'évolution économique se découpe en cycles caractérisés par des idéaux et des référents propres. Business 1.0, c'est l'économie industrielle, celle des années 80. Business 2.0, c'est l'économie du numérique, celle des années 90. Business 3.0, c'est l'idée d'un cycle à venir porté par une considération centrale : la durabilité.

Autour d'eux, des roses XXL parfument l'air de tout.

— Elles sont dingues, ces roses !

— Je sais, répond Nicolas. On teste de nouveaux types de plants. Le jardinier fait un super-boulot. C'est pour le projet de Mathias.

— Mathias ? Tu veux dire Mathias d'HEC ?

— Surprise, hein ?

— Mais... qu'est-ce qu'il fout là ?

— Viens, il va t'expliquer.

Nous entrons dans la maison 1. Concentré sur son Mac, Mathias est méconnaissable depuis notre nuit à la pleine lune quatre ans plus tôt. Dans les sources d'eau chaude de Californie. Je le serre fort. Il a perdu vingt kilos, coupé ses cheveux, chassé sa crasse. À l'explosion de la bulle Internet, il a quitté l'Amérique et son lac Tahoe. Il est devenu professeur d'anglais à Lhassa. Le bus de l'école est tombé dans un ravin : quinze morts. Il a déliré pendant plusieurs semaines dans un mouroir tibétain, sa jambe a failli y rester. Un matin, il s'est réveillé. Son envie d'aventure n'avait que grandi. Il a regardé la liste des anciens HEC. Personne ne faisait mieux que Nicolas à Kaboul, il lui a proposé un projet. Il convertit les champs de pavot en culture de roses. Une multinationale américaine du luxe et un parfumeur suisse sont au capital de sa société immatriculée à Jalalabad, chasse gardée de trafiquants. Mélange des genres d'une nouvelle *Realpolitik*.

Un apéritif s'organise sous les glycines en fleur. Un hamac est installé un peu plus loin. Dans un anglais teinté, douze nationalités discutent sur des chaises en rotin. Quelques femmes occidentales cachent leur corps sous des tuniques aux couleurs vives. Je pensais croiser des baroudeuses masculines en rupture de tout. Je rencontre de belles plantes à la beauté tendre et sage. Les habitants du camp ressemblent à des acteurs de *sitcom* sponsorisée par Benetton. Amour, gloire et beauté… Au milieu du chaos, je trouve le monde des bisounours.

La plus allumée des filles s'approche. Sur le ton de la confidence, elle me dit :

— On a tellement entendu parler de toi. Nicolas est si heureux de t'avoir retrouvée.

— Ah oui ? je réponds, comme si je m'en moquais.

— Bon, c'est vrai. Il a brisé pas mal de cœurs à Kaboul…

— Euh merci. Je n'ai pas très envie de…

Elle ne m'écoute pas :

— Ouais. Il arrivait en soirée comme un gros poulpe tout mou. Il balançait ses tentacules un peu partout. Il y avait en toujours une pour se faire avoir. Le lendemain, le poulpe disparaissait.

J'encaisse. Elle reprend :

— Non mais bien sûr, maintenant c'est différent, il s'est métamorphosé.

La bataille reste la bataille. La guerre jamais gagnée.

Les repas se prennent autour d'un tapis, à même le sol. Les habitants s'installent sur des coussins. La salle à manger sert aussi de coin télé. *Marianne*, les *Inrocks*, *Voici*, *Le Monde diplomatique* traînent à côté d'un Monopoly et d'un Cluedo. Une énorme sono attend sous une nappe :

— C'est pour nos fêtes, tu comprends. Les gens ont aussi besoin de se détendre ici. Sinon, il ne nous reste plus rien, dit Nicolas en ramassant les magazines.

Après plusieurs hivers de mouton rassis, il a transmis les recettes de base à son cuisinier : omelette, quiche, piperade, gâteau au chocolat, *milk-shake*. Apporter dix kilos de vivres, c'est la première mission de tout nouvel employé.

— Mais dis-moi, c'est bientôt le buffet du Club Med ici !

— Dans un pays en guerre, répond-il solennellement, c'est le seul moyen de tenir. Bon, je te laisse. Il faut que j'aille travailler.

Conversations de resto U, ragots de soirée, débats sur les w.-c. bouchés, enfer des copains qui s'enterrent dans le métro parisien. Le monde n'a finalement pas beaucoup changé. Une espèce de voile terreux se dépose sur les plats, je demande :

— Euh, qu'est-ce que c'est ?

— Ah, rien ! C'est le vent qui amène ça… C'est de la poussière.

Ils se regardent entre eux, hésitent. L'un d'entre eux lance comme une boutade :

— Tu m'étonnes. Matière fécale à 80 %. Origine bio garantie, quoi !

À la fin du repas, ils sont vautrés sur les coussins, piochent à même les plats en fumant. Nicolas revient. Ils se redressent d'un coup, parlent géopolitique, analyses à finir, présentations à préparer.

Une domestique entre avec un plateau. Traits fins, corps pur, quatorze ans à la limite. Laetitia Casta s'est réincarnée en petite ashkénaze, les yeux un peu plus bridés. Les hommes bavent, les femmes envient. Je demande à Nicolas :

— Cuisinier, femmes de ménage, chauffeurs, jardinier, gardes… Mais combien de personnes bossent pour ton confort ?

— Je ne sais pas, moi… vingt. Nous ne pouvons pas faire autrement, c'est une question de sécurité.

Il a justifié sa logistique de petit colon. La petite ashkénaze peut desservir, le petit personnel finir les plats.

Je tombe de sommeil. Dans la chambre de Nicolas, des canettes de bière, une carte du monde, une penderie qui explose, un lit rafistolé, une lampe de bureau. Aucune photo de famille ni de rien, aucune trace de vie, avant. Il veut couvrir les bruits du jardin : au clair de lune autour d'un dernier whisky, les habitants du camp entonnent *Let it be*. Mauvaise guitare, tambourin cassé, ils chantent faux, recommencent encore. Venue retrouver un homme, je découvre la vie en communauté. Nicolas branche les enceintes de son iPod en râlant :

— Ils saoulent à la fin.

J'en ai suffisamment vu pour aujourd'hui.

— Pas grave, dis-je. On a tout notre temps.

— Demain, on ira dans une *guest house*. Tu verras. C'est un havre de paix. Personne ne me connaît.

Le lendemain, nous dormons au Bee's. Jardinet fleuri, intérieur cosy, kalachnikov à l'entrée, gilet pare-balles sous le sommier, garantie totale d'anonymat. C'est le ghetto des nuits câlines, le lupanar des tombeurs. En partant, Nicolas regarde le patron d'un air entendu.

À Kaboul, l'argent afflue de partout. Les organisations internationales lancent des projets monstres. Les femmes et les enfants travaillent aux champs. Les hommes ont fait la guerre. La main-d'œuvre locale est décimée. Les Occidentaux raflent la mise. Leurs sociétés poussent comme des champignons. Les dollars investis repartent direct en Occident. Du cash, de l'urgence, des médias, Kaboul est une bulle spéculative, le dernier eldorado. En équilibre sur le fil de la paix. Avec ses associés, Nicolas a créé la société dont tout le monde parle. Une sorte de boîte à outils à business : informatique, études, conseil, publicité, comptabilité, en veux-tu en voilà. Les trois Pieds Nickelés avaient raté la bulle Internet, attendaient une nouvelle vague. Ils s'étaient croisés un soir sur la Route de la Soie, avaient discuté dans une yourte autour d'un bol de *kumiz*[1]. Ils n'avaient qu'une envie : l'ailleurs, n'importe comment. Vivre loin de tout compte, contrôler leur univers. À Kaboul, ils ont refait le coup de la dînette. Un peu pour la beauté du geste, un peu par revanche sociale. Pour fuir en toute légitimité surtout. L'un compte, l'autre organise, le troisième fait tourner. Effet turbine, alliance parfaite, c'est pour la vie. Deux cents personnes travaillent pour eux. Le pire qui puisse leur arriver : Ben Laden à Tahiti, la paix en Irak, un tir de roquette dans le jardin.

---

1. Lait de jument fermenté.

Au ministère, j'ai rendez-vous avec Azziz Diffara. Il vient d'être nommé par les Américains pour définir les projets de reconstruction du pays : un plan d'irrigation, un pont, un système éducatif, une constitution.

Le ministère est désert, la chaleur gluante. J'attends dans l'antichambre de son bureau avec ses trois secrétaires : des Afghans sans âge planqués à leur table. Pas d'ordinateur, ni stylo, ni papier, immobiles et fiers ils attendent que la journée se passe. Sans jamais se regarder. Une mouche se fait trucider dans le ventilateur de poche de l'un deux. Je pique du nez. Azziz Diffara, entre en trombe, nous sursautons tous. Il se tourne vers moi :

— Pardon, pardon, je suis si occupé. Vous pouvez m'attendre ? Disons une heure.

Deux heures plus tard, il ressort de son bureau :

— Ah oui… J'avais oublié… J'étais en conversation avec le Président. Je suis débordé. Vous me laissez cinq minutes pour respirer ?

Trente minutes plus tard :

— Bon, entrez, je vous explique tout en un quart d'heure.

Azziz est un trentenaire trapu au teint mat. Pantalon de costume bleu nuit, chemise jaune, souliers vernis, téléphone portable à la ceinture. C'est un peu le directeur de la stratégie du pays. Il ressemble à un vendeur de voiture du New Jersey. Assis dans son fauteuil en cuir de PDG, clé USB à son cou, il me raconte :

— À Londres, je claquais mon salaire à six chiffres dans des bars branchés. J'imaginais que c'était ma vie. J'ai foncé à Kaboul dès que les Talibans sont partis. Aider mon peuple, le sortir de la misère, c'est ma mission sur terre. Ici, maintenant, je peux enfin donner un sens à ma vie.

Sa climatisation pompe la totalité d'un groupe électrogène. Je repense à la mouche du ventilateur, réponds :

— Ne vous en faites pas. Nous allons transformer votre ministère en usine à projets.

— Oui, ça serait bien de faire un truc un peu à la McKinsey. On pourrait recruter des petits jeunes avec les dents longues. Ceux qui ont faim et bossent comme des fous. Des Chinois, des Indiens, des Iraniens…

Je m'imagine à Bangalore, à faire passer des entretiens aux *niaqueurs* asiatiques.

— Je m'occupe de cela.

— Enfin… il y a quand même un gros boulot de nettoyage à faire avant.

— Pas de problème. De quoi s'agit-il ?

Je peux être agent secret aussi, s'il veut. Il explique :

— Oui. D'abord, il faut s'occuper de l'équipe de mon prédécesseur. Que des bras-cassés qui viennent du monde entier pour des missions qu'ils ne font pas.

Pour la première fois, j'entends parler des **Business momo chasseurs de prime**. Leur CV se lit comme la feuille de route des pays qui craignent. Azziz poursuit :

— Ils arrivent en classe affaires pour quatre semaines de travail auprès d'un ministre. Leur recrutement a pris trois à cinq mois. Le ministre a souvent oublié qu'ils venaient. Alors ils attendent dans un coin.

— Que font-ils de tout ce temps ?

— Rien. Ils engrangent jours et honoraires planqués à l'Intercontinental, repartent pour le Darfour dans la même classe affaires. Et ainsi de suite. Ils ne laissent même pas une page de rapport derrière eux ! Par contre, ils demandent un rendez-vous pour négocier un bonus.

Business momo chasseurs de prime : consultant pour une très grande organisation internationale, spécialisé dans les missions *post conflict*, soit des pays où personne ne veut aller. Ils foulent leur sol, côtoient leur misère mais ne construisent rien. Reviennent mais ne restent jamais. Sauver l'humanité est beaucoup mieux qu'une affaire personnelle : c'est un business lucratif.

154

Une jeune Afghane entre doucement. Port de tête majestueux, voile travaillé, regard doux, ongles vernis, pantalon Armani. Elle a l'élégance d'une reine, la discrétion d'un chat. L'assistante personnelle d'Azziz arrive de Miami. En la regardant en coin, il poursuit, larme à l'œil :

— C'est une honte ! Ils volent l'argent du peuple afghan. De mes frères ! Il faut que cela cesse. Avec moi, cela ne va pas se passer comme ça. Je compte sur vous pour mettre de l'ordre. Mon peuple ne peut pas attendre. Nettoyez-moi tout cela.

— Comptez sur moi.

C'est l'occasion rêvée de me débarrasser de mes années de *capitalist pig* : New York, le travail sans cause, l'argent pour rien. De servir à quelque chose. Collée au ventilateur, je m'acharne seize heures par jour. Par téléphone satellite, je dérange un à un les *business momo* dans leurs luxueux pénates de Boston, Munich ou Sydney. Je les mets au pain sec, divise leur salaire, en conditionne le versement. La fête est finie. Je barre leur nom en raccrochant en pensant : « Mort aux cons ! »

Un an plus tard, les *business momo* chasseurs de prime squattent toujours la classe affaires. Le ministère reste désert. Quelqu'un a fini par vérifier : Ernst and Young n'a jamais entendu parler d'Azziz. Son diplôme est celui d'une sombre école de théologie qui ne répond pas au téléphone. Elle est financée par son cousin, grand ponte du FMI. La Banque de la Faim paie son salaire astronomique de nettoyeur-au-grand-cœur. Il délègue entièrement son job à des consultants. La Banque de la Faim a voulu virer Azziz. Son oncle, monstre de guerre à la botte de Washington depuis la chute des Talibans, est intervenu. Il est pressenti par les Américains pour un poste ministériel à Kaboul. La Banque de la Faim continue de faire les chèques de tout le monde. Les *capitalist pigs* n'ont pas de nationalité. Juste des familles en or.

La maison de Nicolas et de ses associés est une attraction locale. L'endroit où il faut être, l'étape incontournable pour les journalistes en reportage sur des sujets complexes. À la tombée du jour, ensemble, ils refont le monde dans le jardin. Au loin, les roquettes explosent. Ici, tout va bien. Au cœur de la poudrière, on se sent vivant. Ces gens sont venus au bout du monde pour vivre les uns sur les autres. Ils dorment, mangent, travaillent ensemble. À Kaboul, sur le même bateau, ils sont tous frères, forcément exceptionnels. Personne n'a le droit de douter ni d'être malheureux. La bouteille de gin et la cigarette de l'amitié peuvent tourner.

Un repas est organisé pour le directeur de la Banque de la Faim. Soit l'homme qui tient le porte-monnaie de la ville. Pour l'occasion, le personnel dresse une vraie table, nous éclairons la salle des repas à la bougie, le cuisinier se surpasse. Les habitants du camp sont priés de dîner en cuisine. Les consignes n'ont aucun effet. Un petit roquet imberbe débarqué trois semaines auparavant pour un stage d'école de commerce entre en tongs. Il s'assoit à côté de l'invité, engage la conversation :

— Ouais, et alors c'est quoi, ton taf à toi ?
— Euh… directeur de la Banque de la Faim à Kaboul, répond l'hôte un peu surpris.

— Ah ouais, cool ! Tu tombes bien. Je pensais l'autre jour quand j'étais sur la route de Mazar-e-Charif. Il faudrait faire quelque chose pour les expat'. Nous, on reconstruit le pays mais c'est vraiment dur de travailler dans ces conditions.

— Je trouve cela dur moi aussi. Avant, j'étais au Soudan, vous savez et…

Il ne l'écoute pas, se gratte l'entre-jambe :

— Ce qu'il faudrait, c'est un truc comme à Paris. Genre une piste bétonnée à côté de la route à la sortie de Kaboul. Tiens ! Par exemple, la vallée de Shamaly, c'est tout plat !

— Une piste en béton à côté de l'unique route en dur du pays… Pardon mais je ne comprends pas.

— Ah ben, comme ça on pourrait faire du roller le week-end ! Allez quoi, il y a bien quelques pépètes au fond du tiroir !

Cramoisi de honte, Nicolas lance au petit roquet :

— Dis donc, Éric, tu n'as pas à préparer des *slides* pour demain ?

— Ah ouais. *Cool man*, j'y vais.

Avant de se lever, il plonge sa fourchette dans le taboulé, la renverse. Il recommence en se penchant au-dessus de la table et dit, la bouche pleine :

— À un de ces jours, hein. Moi, j'ai du boulot.

L'invité parti, Nicolas se rassure :

— Bah, ça passe ! Ça faisait « repas de l'amitié », non ?

Loin de maman et *bobonne*, les hommes se comportent comme des gorets. Entre eux, ils s'excusent toujours un peu.

Le vendredi est le jour de repos hebdomadaire. Le personnel afghan déserte le camp. Désœuvrés, les habitants dorment jusqu'à midi. Nicolas en profite pour trier son linge dans l'armoire commune :

— On se refile les slips ! L'avantage : il y en a toujours un de propre.

Les filles mettent des tee-shirts courts, s'épilent au soleil. L'après-midi, ils jouent aux cartes, au foot, écoutent Cesaria Evora en boucle. Longues heures d'ennui. Le soir, le camp est devenu une porcherie.

Un vendredi matin, Nicolas me pousse dehors :

— Viens, on va faire du vélo.

Entre nous, il ne peut y avoir de temps mort.

Il ouvre la route sur sa bicyclette hollandaise, cheveux au vent. Sur les Champs-Élysées locaux, les robes de mariée s'exposent en vitrine. Ce sont les uniques boutiques pour femmes.

Pashtunistan Square, la place centrale de la ville, est bordée d'immeubles ravagés par la guerre. À leur sommet, quelques panneaux d'affichage tentent leur chance sur des structures rouillées.

— C'est un peu comme Time Square, non ? s'écrie-t-il.

Il pointe vers le plus grand d'entre eux :

— Celui-là, c'est nous ! dit-il en crânant.

Sur un fond parfaitement bleu, une jeune femme regarde vers l'horizon, pleine de confiance. Son voile tombe un peu, ses lèvres ourlées brillent délicatement. Une Carte bleue à la main, elle incarne l'avenir radieux : l'Afghanistan libéré, elle peut consommer. Je m'étonne :

— Mais c'est la petite ashkénaze du camp !

— Bien vu, eh, eh.

— C'est dingue, ça ?

— Ouais ! Alexandra, la graphiste, l'a maquillée et coiffée. Elle lui a refilé son voile, on a pris la photo sur le toit de la maison. Avec mon appareil, le 5 millions de pixels ! Tu sais, celui que ma grand-mère m'a offert à Noël. Ça le fait, non ?

Je repense à la remarque de Denzel, à l'annonce de mon départ à Kaboul : « Waouh, mais comment les hommes font-ils pour tenir là-bas ? Pas d'alcool, pas de femmes ! Ils doivent se masturber en permanence ! » Les habitants du camp ont de quoi se motiver. Trop belle pour tout le monde, elle lave leurs draps. Je m'enquiers :

— Mais la petite ashkénaze est toujours femme de ménage ?

— Bah… Ses frères sont venus nous voir, furax. Elle n'a plus le droit de faire de photo. On lui a filé quelques jours de congé.

Sur la place, un immeuble indemne se détache : le cinéma reconstruit par l'ONG Ariana et l'entremise de Claude Lelouch. *Kirikou et la sorcière*, *Taxi*, *In the mood for Love*…, le Ve arrondissement s'invite à Chaos City. Nous entrons. Des petits carreaux filtrent une lumière de fin d'après-midi. Des rayons obliques jaunes et roses éclairent le nom des salles : que des cinéastes français. Pendant les projections, le brouhaha stoppe quand la musique retentit. C'est le jour des hommes. Ils viennent ici discuter au frais, sur d'étranges fauteuils de velours rouge.

Nous reprenons nos vélos, traversons un marché. Les mangues gorgées de sucre dégringolent d'étalages archaïques. Elles s'arracheraient à prix d'or en « boboland ». Grises, cabossées, elles n'entrent pas dans les cageots de la mondialisation.

Nicolas veut me montrer le palais du roi au bout de Darulaman Road. Des camions nous dépassent en klaxonnant. Ils sont peints de mille motifs : cœurs, fleurs, soleil, oiseaux racontent une histoire d'amour. Les chromes brillent. Nous croisons des hommes qui nous saluent ou nous méprisent. Leurs vélos noirs sont décorés de roses en plastique. Certains roulent en se tenant par la main.

— Ils ont la classe, non ? s'exclame Nicolas.

Une femme marche en portant son fils dans les bras. Son regard est noir. Nicolas se retourne vers moi, dit sur un ton de reproche :

— Allez, quoi, souris ! On est mieux qu'en prison !

— Je n'ai rien à faire ici. Je veux rentrer.

— Tu ne comprends rien : tu donnes envie aux quelques Afghanes qui te voient de se battre pour un jour faire pareil. Pédale !

Nous arrivons au palais. Théâtre de batailles stratégiques et symboliques, il ne reste que des façades défoncées. À l'un des balcons, un GI monte la garde. Quelque chose hurle dans son oreillette. Son arme pointe vers nous, il nous crie de reculer. Nous enfourchons nos vélos, Nicolas lève la main : *Cool, man*. Sur la route, il relativise :

— Bah, l'hiver dernier, mon ami Rolf le photographe faisait du skate dans les couloirs.

Pour les autres vendredis d'ennui, Nicolas m'obtient une dérogation à la piscine réservée aux employés de l'ONU. C'est une oasis vert et bleu en plein bidonville. La planète

Mars. Des corps jeunes et musclés picorent des salades au poulet derrière leurs lunettes Oakley. Les femmes aux silhouettes parfaites paradent nonchalamment dans leur maillot de bain Jenna de Rosnay. Elles reviennent tout juste d'une session pédicure-shopping-bronzing à Dubaï. Elles s'attardent sous la douche, s'assurent d'être bien vues, repartent travailler. Cachées sous des kilomètres de tissus sophistiqués. Délicatement accrochés.

Quelques semaines plus tard, le couvre-feu cesse. L'ONG Dotaid ouvre le bal en organisant la première soirée. Nous arrivons dans le quartier des ambassades. Une file dense piaffe d'impatience comme à l'entrée d'un club de Miami. Pas de fouille au corps, de détecteur de métaux, ni de liste d'invités. Un Italien tend des bières à l'entrée en guise de bienvenue.

La bâtisse est magistrale, le jardin sent l'herbe taillée de frais. Sur l'une des pelouses, un écran géant. Des photos défilent : des volontaires au travail auprès d'une population du Moyen Âge ; les mêmes, hilares en soirée. Une brise délicieuse souffle sur le lin des vêtements des trois cents convives venus du monde entier. Ils se scannent de la tête aux pieds, se tombent dans les bras, rient fort, vérifient par-dessus l'épaule qu'on les a bien remarqués. Rayonnants, incroyablement propres, ils sont surexcités par les promesses de la nuit : séduire, vibrer, coucher. Enfin.

Backpackers refusant de rentrer au bercail, *international lovers* exaltés, ego bouillonnant à la recherche désespérée d'un casse-dalle, logisticiens, volontaires en déroute, ils s'y croient tous. L'atmosphère est animale, entre Beatnik et *Valseuses*. Un mur épais de cinq mètres de hauteur supplanté de deux mètres de tôle et de barbelés sépare la rue défoncée des azalées du jardin. Nicolas s'exclame, tout émoustillé :

— C'est génial, non ?

— Euh… c'est que… cela ne te dérange pas, toi, les barbelés ?

— Ah, ça ! Je ne les vois même plus. Ça fait des mois que l'on vit terrés chez nous. Ce soir, c'est la fête !

— Ouais mais bon. Une roquette ferait un carnage !

J'hésite entre l'envie de regarder, me planquer ou céder à la fête. Choix 1, 2 ou 3, c'est ma téléréalité. Cela l'agace :

— Et à Paris, tu pourrais être déjà morte dans un accident de voiture. Profite !

— Non mais franchement, entre toi et moi, tu ne trouves pas…

— Mais enfin ! C'est ça aussi, Kaboul !

La mascarade d'un monde magique et libre, car sans lien, est devant moi. Ces néo-strivers dansent sur le volcan, leurs terrains de jeu sont des champs de bataille. De retour chez eux, ils racontent ce beau pays, l'Afghanistan, l'œil qui frise et la voix cassée. Ils expliquent qu'ils sont là-bas à force d'exigence, insinuent une espèce de grandeur d'âme. Miroir inversé : ils cachent mal leur peine. Ils titillent la mort à force d'absolu, de crainte de se voir comme ils sont vraiment. La proximité du risque leur donne l'impression d'exister. Ce soir, tous d'accord, ils célèbrent une humanité triomphante : la leur !

— Tu parles de *White Trash* !

Nicolas est déjà parti sur la piste bondée. Son regard de chacal reluque les décolletés. Il se trémousse en se tenant les seins sur *Can't wait to get you out of my head*, de Kylie Minogue. Les femmes sont rares. Kaboul les transforme en princesses convoitées, reines de la nuit. À leur arrivée en ville, ce sont des agneaux dans la bergerie. La chasse est ouverte, les hommes paradent comme des paons. En trois semaines au maximum, leur sort est scellé. Pour un temps. Elles sont entrées dans la danse, dans le cercle. Kaboul est un baisodrome. Les gens ne sont jamais seuls. Ils s'échangent, c'est tout.

Un mois plus tard, Nicolas me sort de la maison et du ministère pour quelques jours :

— Tu ne peux pas résumer l'Afghanistan à Kaboul la tor-
turée.

Il m'emmène en escapade : douze heures pour deux cents
kilomètres sur une piste de cailloux.

Une rivière a fait son lit dans un dédale de vallées encais-
sées. La végétation prolonge l'eau sur les côtés puis se heurte
à une roche abrupte et rose. De temps en temps, une barrière
bricolée s'impose au milieu de nulle part, un homme sort
d'un trou. La voiture doit arrêter sa course chaotique. C'est
sa barrière, son coin de terre, sa dîme.

Parfois, la vallée s'élargit, des champs apparaissent.
Des ânes croulent sous le chargement de foin. Les femmes
coupent le blé. Elles se détournent quand elles aperçoivent la
voiture. Jamais nous ne devons voir leur visage.

Nous nous arrêtons pour prendre de l'essence. Les enfants
sortent des champs, crient en courant vers nous, posent, fiers,
sur la photo. Les hommes du village ont disparu. D'une des
maisons de terre, la musique s'échappe. Avec leur premier
argent, ils ont acheté une TV et un abonnement au câble satellite. Britney Spears chante *Boys*. Ses poses lascives et les
fesses des Blacks débarquent dans la vallée.

Nous arrivons à Band-e-Amir. Sept flaques d'eau géantes s'imposent en plein désert. C'est la terre avant l'homme, les îles grecques avant les Allemands en short. Il ne manque qu'un dinosaure. Seuls au monde, nous courons au sommet des canyons.

— Bientôt, tu verras, ça va être le paradis du trek ici, dit Nicolas tout excité.

Le sentier est bordé de drôles de pierres peintes : blanc d'un côté, rouge de l'autre. Je demande :

— Tiens, qu'est-ce que c'est ?

— Ah oui, bah... Les pierres, c'est juste pour dire : blanc tu marches, rouge tu sautes. Sors pas trop du chemin.

Au bord d'une sorte de ginguette, des pédalos en forme de cygne flottent à un plot. Cadeau du Pakistan : de Karachi, un 38-tonnes a traversé les zones de non-droit pour le bonheur des premiers touristes. Sur un lac désert, nous partons vers le large sur un cygne rose. La roche ocre tombe à la verticale dans une eau bleu nuit. Les habitants s'agglutinent sur le rivage. Plus loin, nous trouvons une minuscule crique à l'abri du courant et des regards. En boxer Calvin Klein, Nicolas saute dans l'eau à douze degrés.

— Allez, maintenant que tu es là, jette-toi à l'eau !

Pour lui plaire, je frôle l'hypothermie.

Le vent se lève avec le crépuscule, le courant nous porte vers le port. Nicolas a dégoté cacahuètes, Coca-Cola et couvertures pour l'apéritif. Il nous prend en photo à bout de bras. C'est une sorte de tic, quelque chose qu'il fait partout. Comme s'il voulait la preuve qu'il est bien là.

Emmitouflés sous nos couvertures, nous appelons nos pères par téléphone satellite. Petite victoire sur nos trajectoires de *lonesome cow-boy*, nous leur disons que nous sommes heureux. Ensemble. Est-ce que c'est lui que j'aime ou alors ce moment ? Il se pose probablement la même question.

Avant de quitter le jardin d'Éden, nous prenons un thé au jasmin au bord du lac. Quatre Japonais d'une trentaine d'années sortent d'un 4 × 4. Ils rient fort, prennent la pose devant le lac. Tee-shirt à message, gadgets à la ceinture, jeans taille basse, string apparent pour les filles, ils sont lookés comme à Tokyo. Sans voile.

— Waouh, trop *cool*, ces Jap' ! s'exclame Nicolas.

— Mais merde, ces filles sont des dangers publics. T'as vu la tête du patron ?

— Bah, ça le réveille un peu.

Sur la route du retour, à Bagram, la voiture cale. Le chauffeur et Nicolas la poussent jusqu'à un garage, plus loin en contrebas. Une vingtaine d'enfants encerclent la voiture. Agglutinés à la vitre, ils nous observent en silence. Cinq-huit ans, catégorie mini-pousse, ils ont des joues pleines. Des rides de vieillard strient leurs peaux rongées par le soleil. Torses nus tachés de cambouis, ce sont les garagistes, ils n'ont aucune envie de réparer. L'un d'entre eux plante son regard dans le mien. L'huile d'un moteur lui a mangé le visage. Sans sourire, ses yeux ordonnent : « Maintenant, emmène-moi. »

Ma mission et mon premier séjour à Kaboul touchent à leur fin. Juste avant mon départ, Nicolas glisse :

— Viens ! J'ai une surprise pour toi.

Il me fait grimper sur une échelle pour accéder au grenier d'une des maisons du camp. Je découvre un loft avec vue sur les toits.

— Voilà. J'ai fait aménager cela pour nous. Ici on sera bien, non ?

Je n'en reviens pas. Des meubles du Nuristan, des tapis de nomades, un bureau, une chambre, une salle de lecture, un petit salon : un espace pour nous. Je pars le lendemain. Il me demande de venir vivre avec lui ici, m'avait juré que cela n'arriverait pas. Jamais non, jamais oui, il n'a pas de parole ni même d'avis. Juste de grandes idées sur tout. L'anguille est de retour. Je proteste, il rétorque :

— Mais maintenant, tu as vu ma vie ici. Tu y as participé. Cela change tout ! Tu ne trouves pas que tout ici est génial ?

— Ben...

— Allons, tu vois bien que je ne peux pas lâcher mes associés. Mon entreprise décolle, un tas de nouveaux projets arrivent. Je sens que j'ai encore des choses à faire ici.

— Ce discours, je l'ai entendu cent fois. Il n'y en a jamais eu que pour toi...

— Non ! Pas cette fois. On pourrait s'acheter une maison !

L'anguille adore aussi l'esbroufe. Je m'énerve :

— Et pourquoi pas faire des enfants et ouvrir un McDonald's ?

— Justement, j'allais t'en parler.

— Quoi ? McDo ?

— Non. Des enfants ! Tu sais, mon copain John en a déjà deux. Sa femme a accouché à New Delhi et après ils sont revenus ici. Ses enfants rigolent tout le temps. Il faut que je te les présente. On pourrait faire pareil.

Il me fait le coup du couple pionnier. Quelques mois plus tard, j'apprendrai qu'ils se tapent dessus. Il continue :

— Arrête de ne penser qu'à toi ! Moi ici, je construis, j'aide le pays, je crée des emplois. Tu pourrais aussi trouver ta place. Ouvre un peu les yeux ! Tu vois bien qu'il y a tout à inventer. Tu en connais beaucoup des pays comme ça ?

— Franchement non ! dis-je sarcastique.

— Ce pays est une chance incroyable. Il est fait pour des gens comme nous. Accro à tes goûts de luxe, tu ne la vois même pas.

Pour Nicolas, c'est tout ou rien, la poudrière ou la mort. Premier de cordée, gourou de secte, patron d'entreprise, chef scout, responsable de colo, il est le producteur d'un spectacle inventé pour lui-même. À Kaboul, il a la promesse de ne jamais s'ennuyer ni de devoir se remettre en cause. Loin de tout, roi de la Kasbah, écouté, admiré, indispensable, il est prisonnier de cet univers qui le rassure. Je pars m'asseoir dans un coin :

— Toi, bien sûr, tu voudrais que je rentre à Paris, dit-il. Que je prenne un job à La Défense et qu'on s'achète une maison au Vésinet comme tous ces cons !

Je tente, peu convaincue :

— Il y a d'autres options, non ? La France, ce n'est pas que ça ?

— Arrête de me raconter des histoires. Je t'ai vu faire. À Paris, tu tournes en rond. Et tu le sais. Tu cours pour oublier.

19. Automne 2004

À Paris, je travaille peu. Obnubilées par le chiffre, les entreprises évitent de penser à demain. Les jeunes font grève : ils n'auront pas la même vie que leurs parents. Le **coaching** recycle les cadres au chômage. Le *re-birth*, la *Kabbalah* de Madonna, les stages de développement personnel, un peu de spiritualité par-ci, un peu de sophrologie par-là, tout le monde bricole. *Psychologies Magazine* est sorti en format poche.

Mes amis ont plusieurs enfants, des appartements, dettes et soucis de plus en plus grands. Ils grimpent patiemment l'échelle sociale, partent en vacances aux Seychelles dans des hôtels impossibles, brillent tout bronzés aux soirées d'anciens.

Coach me fool : type d'individu capable de dire : « Si tu n'as pas ENCORE tout à fait réussi cette partie de ta vie, c'est parce que tu ne te l'es pas ENCORE autorisé. » L'entreprise les a virés. Elle les charge de redonner de l'envie à ses cadres au bord de l'implosion. Gros coucous thérapeutiques à exigence de rentabilité immédiate. Business porteur.

Nicolas multiplie les appels de Kaboul. Dans la poudrière, il a toujours *la pêche*. Un soir de novembre, il s'exclame :

— L'hiver est arrivé ! C'est génial ! Il y a cinquante centimètres de neige dans les rues. Du coup, on a fait du ski, tractés par le chauffeur. Tu sais, comme pendant le blizzard à New York, *Fifth Avenue of course*. Et après, on a transformé la salle de bains en hammam. Qu'est-ce qu'on a rigolé ! Ça va, toi ?

À Paris, il n'y a plus de bulle à explorer, plus de vague à surfer, de compétition à inventer, de volcan sur lequel danser. Plus d'États-Unis pour me faire rêver. Plus de Susan pour m'envoyer autour du monde. Plus de Marco pour me rassurer. Je n'ai rien à faire, à vivre, ni à imaginer.

Kaboul était une blague. Un cocon aussi. Au moins, j'étais occupée, tenue en éveil par l'univers foutraque de Nicolas.

— Bah, rejoins-moi, tu as ta place ici, dit-il.

Pour Noël, il débarque en France avec une bague pour moi, un tapis pour mon père. Au soir du réveillon, solennel, il annonce à mes parents :

— À Kaboul, j'ai trouvé une maison pour votre fille. Je vais faire installer une salle de sport et il y aura plein de fleurs dans le jardin. Si elle accepte de venir, elle sera bien. Il y aura de la place pour vous. Vous pourrez venir et enfin voir ce pays magique.

En dehors des moments de parades en famille, il est distant. Ses vêtements charrient une odeur âcre de poussière et de sable. La nuit, il râle dans son sommeil. Je me raconte qu'il porte tout le poids de l'Afghanistan sur ses épaules. Je n'ai le poids de rien, il n'en faut pas davantage pour me faire rêver. Sauver le monde est devenu ultra-tendance. Nicolas repart :

— Allez, réfléchis bien.

J'admire Nicolas, lui en veux. En apparence, le suivre est la promesse d'une expérience, loin de tout. À l'opposé d'un univers écrit d'avance. En réalité, j'ai tout vu. Cela ne m'arrange pas. L'indécision me torpille de l'intérieur. Ma peur aussi. J'ai besoin que nos dix ans de cache-cache autour du monde aboutissent à quelque chose. Emberlificotée dans mes contradictions, tout me semble binaire. Je suis irascible, vexée d'être coincée dans un choix aussi stupide : faire du ski nautique derrière Nicolas assis sur un moteur en feu. Et vivre dans son monde total en me racontant que cela est merveilleux. Ou rester seule à Paris dont je me fous, sombrer dans son marigot.

En pleine nuit, je suis parfois réveillée par une voix qui pleure au téléphone. C'est Sébastien, incapable de parler. Il a rebondi de cousin en copain. Personne ne peut l'apaiser. Il dort dans un camion sur un parking de téléphérique. Il s'est réfugié auprès de celle qui lui a offert ses plus beaux rêves : la montagne.

Un matin, une enveloppe attend sous ma porte. Pas de mot, pas d'adresse, juste des pétales de roses rouges fraîches. C'est le genre de geste qui pourrait tout changer. Personne ne le signe ni ne change rien.

20. Hiver 2005

Nuit de janvier, rêve d'été. Force 5 dans une baie parfaite. L'eau moutonne, les cocotiers jouent avec le vent, le drapeau du club de voile claque nerveusement. Des centaines de planchistes surfent sur l'eau en rigolant à chaque virage.

Je cours vers le club. Il y a mille flotteurs et voiles, les meilleurs gréements du monde sont alignés dans un entrepôt grand comme un Wal-Mart. Je les passe en revue, évalue les options, en choisis une, l'assemble. Je règle mes straps, les dérègle, porte mon matériel jusqu'à l'eau. Enfin prête, je change d'avis, repars à l'entrepôt, trouve un autre flotteur, hésite sur la voile, le harnais. Je repars vers la plage. Le vent a forci. Il faut que je change de voile. Je la rapporte au club, en choisis une autre, cours vers la plage. L'heure tourne.

J'ai enfin mis mon harnais, enfilé mes gants. J'ai envie d'un Coca, je repose tout. Quand je reviens, la houle s'est levée. Il faut changer de flotteur. Je repars vers le club, hésite entre plusieurs modèles. Il est de plus en plus tard. Je m'affole. Parée les pieds dans l'eau à trente centimètres du bord, la voile claque au vent. Finalement, j'ai faim. Je pars chercher un sandwich. Énervée, je reviens vers mon gréement. Plus rien ne peut m'arrêter. Je regarde une dernière fois le plan d'eau. Il est désert. Plus personne ne navigue. Le vent est tombé avec le jour. La lune point, le club ferme. J'ai passé ma journée sur la plage à tourner autour de l'eau. Je n'ai pas pris la mer. J'ai *réfléchi*.

Au réveil, je bascule. Convaincue de prendre enfin la mer, je décide de partir à Kaboul. C'est le choix de la facilité. Mes intentions ne sont pas pures. Je suis un papier buvard à la recherche de liquide. Chez les autres, je prends une étincelle pour m'enflammer, une promesse. Comme dans la chanson de Gus Gus : « *Are you one of these that finds peace in someonelse's promises*[1] ». Je crois à l'histoire de Nicolas parce que je ne crois pas à la mienne. C'est le grand avantage de l'homme miroir : plus je le vois, moins je me vois.

Je *construis* son personnage, lui attribue des pouvoirs magiques. Il est l'homme qui doit tout résoudre : me donner un travail, une famille, un sens, une légitimité. Une place, enfin.

Vol de nuit Paris-Istanbul-Dubaï-Kaboul. Nicolas m'accueille en héroïne. Cela devrait être une fête. Je suis déjà en colère.

Sur le parking, nous croisons une comique célèbre blottie contre une femme grand reporter. Les yeux fous, la mine défaite, ces petits moineaux blonds grelottent sous leur parka. Elles repartent. Qu'ont-elles vu ? J'ai envie de les suivre.

---

1. « Fais-tu partie de ces gens qui trouvent la paix dans les promesses d'autrui ? »

Ce jour-là, Kaboul est une désolation totale. La neige se transforme en boue sous un ciel laiteux étouffant. Sur la crasse, la lumière saumâtre ternit la couleur de tout. Tout est gris, personne ne vit. Kaboul est une ville de western après la bataille. Les survivants s'en remettent à leur *burali*[1].

Nous arrivons à la nouvelle maison de Nicolas, *notre* maison. À l'intérieur, il fait trois degrés. Son garde n'a pas réussi à mettre en route le groupe électrogène. Dans la salle de bains, un trou sert de w.-c. Un tuyau pend au-dessus d'un sol en ciment poreux : la douche.

— Je n'ai pas encore eu le temps de m'en occuper. Ne t'inquiète pas, ça va être génial.

Il n'y a pas non plus de cuisine.

— Bah, je vais au camp. C'est tellement près.

La chambre est l'unique pièce praticable. Un lit double aux multiples édredons, une table basse entourée de coussins, une bouteille de whisky, une théière, du papier à rouler, des enceintes pour le sacro-saint iPod. Moquette, rideau, tissus, tout est bleu layette. J'essaye d'imaginer cette bâtisse années 70 avec du soleil, des fleurs, de la vie. Les posters de surf accrochés çà et là n'y peuvent rien : c'est la maison de la défaite. Elle devait être notre nid d'amour. Je ne comprends

_____

1. Poêle à gazole.

pas : Nicolas ne peut supporter d'être seul. Tout doit toujours aller forcément bien. Que fait-il ici ?

Nous partons au camp, au coin de la rue. Nous réchauffer, trouver âme qui vive, manger un peu.

Jour de repos, les habitants cuvent leur nuit. Les cendriers débordent. Canettes de bière, restes de pizza et miettes de gâteau au chocolat traînent partout. Nicolas bricole un thé et quelques tartines avec des *nan* rassis. Il insiste pour tout mettre sur un plateau en argent. Nous nous réfugions dans la salle de réunion, unique pièce chauffée.

Passée derrière le décor de ses promesses, je surprends Nicolas par jour de mauvais temps. Il est devenu champion du monde de la fuite, a fait dix fois le tour du monde pour que jamais personne ne voie. Ici la vie est sèche et glauque. Nous ne trouvons rien à nous dire.

Il veut occuper ce temps mort, charger ses e-mails. Il s'absente cinq bonnes minutes. Son écran de messagerie me nargue. Au début, je résiste. Assez vite, j'ouvre un e-mail presque au hasard :

« Merci pour hier soir. Ne t'en veux pas trop. Love, Béatrice. »

Je clique sur la réponse du Géant Vert : une longue description d'un voyage en province, des réflexions personnelles sur la vie, sa vie, son rapport au monde. La sincérité de cet e-mail m'avait touché. Il avait juste fait un copier-coller.

Un de ses associés entre en trombe.

— C'est tellement chouette que tu sois là. Enfin, tu as accepté ! Nicolas est si content. On est tous contents !

Il s'excite en me racontant son dernier projet. Je regarde sans voir cet homme monté sur ressort.

— ... Non mais tu vois le truc ! 400 millions de dollars, cocotte ! On va construire une centrale électrique !

De retour dans la pièce, Nicolas saisit tout :

— Rentrons.

— Mais… dit son associé… on ne va pas se prendre le petit déjeuner de l'amitié ?

— Plus tard, *Inch' Allah*, répond Nicolas.

Il ramasse à la hâte ses affaires, me pousse dehors. Dans sa vie, il ne peut y avoir de faille.

Sur le chemin vers sa maison, je tiens à peine debout. Il dit :

— Je vais t'expliquer. Il faut rentrer. Tu ne peux pas rester dehors.

Je ne parle ni dari ni patcho. Il n'y a pas de café. Le téléphone ne fonctionne qu'une fois sur deux. L'aéroport est ouvert entre deux tempêtes. Mathias est à Jalalabad, les quelques filles du camp en vacances en Europe. C'est le jour de l'Ashura : dans la rue, les chiites vont se flageller en souvenir du massacre d'Hussein. Il neige à nouveau. Je ne connais rien ni personne.

— Mets-toi sous les couvertures, m'ordonne-t-il.

Sous la couette, je garde mon manteau de princesse du Gangsta Rap offert par ma maman. Nicolas plaide une histoire sans lendemain, une solitude trop difficile, une femme allumeuse :

— Tu te rends compte, son mari venait de lui offrir un *kite surf*.

Nous parlons des heures. Ses excuses m'abrutissent, j'ai presque envie d'y croire. Je dors une heure. Dans un rêve, Thierry Lhermitte m'interpelle dans la rue à Kaboul : « Je te cherchais partout. Il faut que tu bouges de là. Tout de suite ! »

Je me réveille les idées claires, travaille Nicolas au corps. Il hésite, lâche tout : il y a d'autres femmes, un tas de femmes. Il est fou, lâche, con, demande pardon. Met tout sur son enfance tourmentée.

Je bondis hors du lit. Surpris, il se planque derrière ses bras. Hors de tout, j'éclate de rire :

— Quoi? Tu as donc si peur que ça?

Je cours vers la porte. Sur son lit, Nicolas reste recroquevillé dans la position du fœtus. Je traverse le jardin sous le regard pétrifié du garde, hurle en claquant le portail, m'arrête d'un coup. Zut, c'est vrai, il fait nuit noire; c'est le soir de l'Ashura dans la capitale mondiale du chaos; je ne connais personne. Un 4 × 4 ralentit à mon niveau. Je m'accroche à ma valise qui s'enfonce dans la boue, fonce vers le camp. C'est le pire endroit, le pire moment pour une scène de fin.

Un homme court à ma rencontre : l'un des associés de Nicolas. Il me jette dans une voiture, dit :

— Il n'y a pas d'avion avant demain matin. Et encore, s'ils décollent. Tu veux aller où en attendant?

Les habitants du camp ne doivent pas voir ce spectacle. Rien ne doit troubler leur petite vie. Tout le monde doit rester *cool*.

— L'endroit le plus sûr, le plus cher.

Nicolas n'a jamais donné. Il a toujours payé.

L'Intercontinental est une espèce de blockhaus torpillé qui trône à une sortie de la ville. Un groom fatigué se jette sur ma valise. Sa chemise rétrécie est jaunie par le temps, son uniforme délavé. Son pantalon lui mord les mollets et lui serre les cuisses.

L'acolyte de Nicolas m'accompagne dans des couloirs interminables jusqu'à la chambre. Personne n'est là. On dirait l'hôtel du film *Shining*.

— Ça va aller? dit-il.

— Oui. C'est bizarre. Cela fait dix ans que je tourne autour du pot. Et là, chaque seconde que je passe ici est une petite mort.

— Je comprends.

Ils ont soi-disant des plans d'évacuation pour tout. Je précise :

— Mets-moi dans le premier avion, demain, s'il te plaît. Peu importe où il va : Moscou, Bombay, Bakou, Riyad, la Lune, Bagdad.

— Compte sur moi. Il me tend son téléphone portable, dit en filant : Appelle qui tu veux.

Pour Kaboul, la chambre est très luxueuse. J'allume la lampe de bakélite, appelle mon meilleur ami à New York. À Central Park, il fait forcément beau. Entre ma difficulté à articuler et l'écho du satellite, il comprend ce qu'il peut :

— Va faire un tour dans la rue ! s'écrie-t-il.

— Il n'y a pas de rue !

— Regarde la télé !

— Il n'y a pas de télé !

— Ah. Ben… prends un bain !

— Il n'y a pas d'eau chaude !

— Merde, je ne sais pas, moi. Qu'est-ce que tu fous aussi dans ce trou pourri !

La brochure polycopiée de l'hôtel indique qu'il a été construit en 1973. Allongée sur le couvre-lit en moumoute, je scrute le plafond. Un souvenir d'enfant resurgit.

Assise sur le porte-bagages de mon père, un dimanche après-midi de printemps. Nous traversons des champs de blé, filons le long du lac. Tout va bien, j'ai cinq ans. En pleine descente, je mets les pieds dans les rayons de la roue arrière. Nous tombons. Je chouine : « Pardon, pardon ! C'était juste comme ça. Pour voir. »

À chaque fois que la vie a menacé d'être douce, je me suis fait un croche-patte. Rester dans mon bouillon de vermicelle, prendre soin de ma déprime, choisir un homme pour sa capacité à dérailler, a toujours été confortable. J'ai vu. Rien n'a jamais changé.

À deux heures du matin, j'appelle Nicolas. Messagerie. Dehors, les chiens errants hurlent à la mort plus fort que moi.

Je finis la nuit dans la salle de bains. Quelque chose est gravé sur le bouton de chasse d'eau : *Ideal Standard*. J'éclate de rire. Le numéro un mondial de la tuyauterie dans les années 70 me sauve de là.

Le jour se lève sur Kaboul. Matin calme, ciel dégagé, le soleil revient. C'est un autre jour. Il fait moins froid. J'ai de la chance. Nicolas appelle, gémit :

— Mon Dieu, que se passe-t-il ? Dis-moi que ce n'est pas possible ?

À sa place, j'aurais dormi sur le paillasson, grimpé par le balcon, appelé toute la nuit. Il a préféré se reposer.

— Viens.

Je prends bien soin de ne pas me laver. Je veux être sale, moche, me fondre dans ce décor débile. De toute façon, il a gardé le dentifrice. Je n'ai rien mangé depuis trente-six heures. Nicolas met des heures à arriver :

— Trop *cool*, cette chambre ! dit-il par réflexe.

Il s'allonge sur le lit, se rappelle ce qu'il est venu faire ici.

— Pardon… Je veux dire, c'est l'électrochoc. Je ne sais que faire. Aide-moi.

— Je prends le premier avion. Tes petits copains se sont occupés de tout pour toi.

L'heure tourne, il est sonné. Au fil des années, plus on s'est retrouvés, plus on a cru se prouver que l'on s'aimait. Que l'on se comprenait. Que l'on était à part. Nous rêvions sur la même musique, croyions nous entendre sur tout.

Muet, il fixe le plafond. Je repense à cette phrase de Romain Gary : « On est d'enfance comme on est d'un pays. »

182

L'enfance, on passe sa vie à la chercher ou à s'en remettre. J'ai succombé au **syndrome du saint-bernard**. Je n'ai jamais réussi à savoir ce qu'il ressentait.

Syndrome du saint-bernard : s'attaquer à la pathologie des autres pour mieux nier la sienne. Trouver plus mal en point que soi et, du coup, se sentir tiré d'affaire. Se draper dans une sagesse (un léger mieux) et en vivre dédouané.

Kaboul m'apparaît pour la dernière fois. Le retour du soleil l'apaise. Elle revit.

La quitter est un jeu de hasard : il faut attendre des heures, jouer des coudes, soudoyer le pilote. Le plus souvent, revenir le lendemain. Ce matin-là, l'aéroport est désert, on dirait que l'avion m'attend. Nicolas me suit partout en silence. Comme si quelque chose de magique allait se passer. Comme s'il s'acquittait d'une dette inédite. Autre prétexte pour rester vivant.

Je passe derrière un rideau pour la fouille au corps usuelle. Quatre femmes prennent le thé dans un réduit sans fenêtre. Elles rient, mangent des gâteaux. Je n'ai pas vu de femmes depuis les moineaux de l'arrivée. L'une s'avance, ses mains me touchent, je pleure un peu.

— OK, OK, murmure-t-elle. Tout va bien. Quel est votre nom ?

Le souffle coupé, je suis incapable de parler. Elle prend mon visage dans ses mains, pose son regard dans le mien. Elle a connu vingt-cinq ans de guerre, le mépris des hommes. Elle vit privée des libertés les plus élémentaires. Son univers d'émancipation tient dans ces trois mètres carrés de préfabriqués et le rire, toujours, de ses copines. Cette maman du bout du monde me console d'un pathétique chagrin d'amour. Il paraît que ces gestes existent toujours. Je n'avais jamais rien vu. Est-ce que je peux être plus ridicule que cela ?

Dix minutes plus tard, je sors en fixant le sol. Bras ballants à la porte de l'avion, Nicolas parle enfin :

— Mon cœur t'accompagnera toujours.

— Tu n'auras plus un seul regard de moi.

Le miroir a explosé. La course est finie. À Dubaï, je peux enfin aller me laver. Ma grand-mère, accro aux *Feux de l'amour*, aurait retoqué la scène. Même les ratés d'Hollywood n'auraient pas osé imaginer une scène aussi débile.

À Paris, une semaine plus tard, je reçois un e-mail collectif pour un rendez-vous : le lieu et l'heure de l'enterrement de Sébastien. Son inquiétude a grandi et l'a séparé de tous les autres. La montagne n'a rien pu contre sa tristesse de ne plus aimer. Comme d'autres, je n'y ai jamais vraiment cru. Il s'est tiré une balle dans le crâne.

Dans la chapelle, son sourire prend toute la place. Projection de diapos, les copains, la glisse, l'air, la colère, l'enfant. Et puis donc la mort, le bout du chemin. Cela peut donc aussi s'arrêter comme cela ?

Toute une promotion est là, dix ans plus tard, costard noir. Nous avons partagé les meilleures fêtes. Nous ne nous verrons plus qu'aux enterrements. Les rides, les désillusions, les mauvais choix, l'espoir. Est-ce que vous y arrivez, vous ? Nous nous regardons. Nul besoin de parler : nous pourrions être dans ce cercueil. Sur le registre, quelqu'un a écrit : « Ne te fais pas si grand, tu n'es pas si petit[1]. »

En regardant son dernier lit, je commence à comprendre : on n'échappe ni à la solitude ni à la peur. Au-dessus des lois, on vit seul ou alors on meurt. Aller trop vite fait perdre un temps fou. Arriver, c'est mourir un peu. Mais s'arrêter, c'est commencer à vivre.

---

1. Freud.

DISCOGRAPHIE

Rage Against the Machine, *Killing in the Name*, Rage Against the Machine, 1992.

Prodigy, *Breathe*, The Fat of the Land, 1997.

Tricky, *Hell is Around the Corner*, Maxinquaye, 1995.

Air, *All I Need*, Moon Safari, 1998.

PJ Harvey, *This Mess We're In,* Stories From the City, Stories From the Sea, 2000.

Red Hot Chili Peppers, *Under the Bridge*, Blood, Sugar, Sex, Magik, 1991.

Björk, *Joga*, Homogenic, 1997.

50 Cent, Get Rich or Die Tryin, 2003.

Queen, *Another One Bites the Dust*, The Game, 1980.

Pink Martini, *Sympathique*, Sympathique, 1997.

Tracy Chapman, *All That You Have is Your Soul*, Crossroads, 1989.

Survivor, *Eye of the Tiger*, Eye of the Tiger, 1985.

Beth Gibbons, *Show*, Out Of Season, 2002.

Ella Fitzgerald, *My Funny Valentine*, 1956.

Rolling Stones, *Start Me Up*, Tattoo You, 1994.

Norah Jones, Come Away with Me, 2002.

Eminem, *If I had*, The Slim Shady LP, 2003.

Bang Gang, Something Wrong, 2003.

Outkast, *Hey Ya!*, Speakerboxxx/The Love Below, 2003.
Red Hot Chili Peppers, *Californication*, Californication, 1999.
Beatles, *Let It Be*, 1970.
Cesaria Evora, *Miss Perfumado*, 1998.
Kylie Minogue, *Can't Get You Out of my Head*, Fever, 2002.
Britney Spears, *Boys*, Britney, 2003.
Gus Gus, *Is Jesus Your Pal?*, Polydistortion, 1997.

Table

Composition réalisée par Asiatype

Achevé d'imprimer en juin 2008, en France sur Presse Offset par
Maury-Imprimeur - 45330 Malesherbes
N° d'imprimeur : 138499
Dépôt légal 1ʳᵉ publication : juillet 2008
LIBRAIRIE GÉNÉRALE FRANÇAISE - 31, rue de Fleurus - 75278 Paris Cedex 06